초등 수학 전문가가 만든 연산 교재

원리셈

4학년 **3**

분모가 같은 분수의 덧셈과 뺄셈

지은이의 말

수학은 원리로부터

수학은 구체물의 관계를 숫자와 기호의 약속으로 나타내는 추상적인 학문입니다. 이 점이 아이들이 수학을 어려워하는 가장 큰 이유입니다. 이러한 수학은 제대로 된 이해를 동반할 때 비로소 힘을 발휘할 수 있습니다. 수학은 어느 단계에서나 원리가 가장 중요합니다.

수학 교육의 변화

답을 내는 방법만 알아도 되는 수학 교육의 시대는 지나고 있습니다. 연산도 한 가지 방법만 반복 연습하기 보다 다양한 풀이 방법이 중요합니다. 교과서는 왜 그렇게 해야 하는지 가르쳐 주고 다양한 방법을 생각하도록 하지만, 학생들은 단순하게 반복되는 연습에 원리는 잊어버리고 기계적으로 답을 내다보니 응용된 내용의 이해가 부족합니다.

연산 학습은 꾸준히

유초등 학습 단계에 따라 4권~6권의 구성으로 매일 10분씩 꾸준히 공부할 수 있습니다. 원리와 다양한 방법의 학습은 그림과 함께 재미있게, 연습은 다양하게 진행하되 마무리는 집중하여 진행하도록 했습니다. 부담 없는 하루 학습량으로 꾸준히 공부하다 보면 어느새 연산 실력이 부쩍 늘어난 것을 알 수 있습니다.

개정판 원리셈은

동영상 강의 확대/초등 고학년 원리 학습 과정 강화 등으로 교과 과정을 완벽하게 대비할 수 있도록 원리와 개념, 계산 방법을 학습합니다. 단계별 원리 학습은 물론이고 연습도 강화했습니다.

학부모님들의 연산 학습에 대한 고민이 원리셈으로 해결되었으면 하는 바람입니다.

지은이 천종현

원리셈의 특징

☑ 원리셈의 학습 구성

한 권의 책은 매일 10분 / 매주 5일 / 6주 학습

☑ 원리셈의 시나브로 강해지는 학습 알고리즘

초등 원리셈은

시작은 원리의 이해로부터, 마무리는 충분한 연습과 성취도 확인까지

☑ 체계적인 학습 구성

쉽게 이해하고 스스로 공부!
실수가 많은 부분은 별도로 확인하고 연습!
주제에 따라 실전을 위한 확장적 사고가 필요한 내용까지!
원리로 시작되는 단계별 학습으로 곱셈구구마저 저절로 외워진다고 느끼도록!

원리샘 전체 단계

 ## 키즈 원리샘

 ## 초등 원리샘

초등 원리셈의 단계별 학습 목표

원리와 연습을 모두 잡는 원리셈!!

학년별 학습 목표와 다른 책에서는 만나기 힘든 특별한 내용을 확인해 보세요.

● 1학년 원리셈

모든 연산 과정 중 실수가 가장 많은 덧셈, 뺄셈의 집중 연습
여러 가지 계산 방법 알기
덧셈, 뺄셈의 관계를 이용한 '□ 구하기'의 이해

● 2학년 원리셈

두 자리 덧셈, 뺄셈의 여러 가지 계산 방법의 숙지와 이해
곱셈 개념을 폭넓게 이해하고, 곱셈구구를 힘들지 않게 외울 수 있는 구성
나눗셈은 3학년 교과의 내용이지만 곱셈구구를 외우는 것을 도우면서 곱셈구구의 범위에서 개념 위주 학습

● 3학년 원리셈

기본 연산은 정확한 이해와 충분한 연습
곱셈, 나눗셈의 관계를 이용한 '□ 구하기'의 이해
분수는 학생들이 어려워 하는 부분을 중점적으로 이해하고, 연습하도록 구성

● 4학년 원리셈

작은 수의 곱셈, 나눗셈 방법을 확장하여 이해하는 큰 수의 곱셈, 나눗셈
교과서에는 나오지 않는 실전적 연산을 포함
많이 틀리는 내용은 별도 집중학습

● 5학년 원리셈

연산은 개념과 유형에 따라 단계적으로 학습 후 충분한 연습
약수와 배수는 기본기를 단단하게 할 수 있는 체계적인 구성

● 6학년 원리셈

분수와 소수의 나눗셈은 원리를 단순화하여 이해
비의 개념을 확장하여 문장제 문제 등에서 만나는 비례 관계의 이해와 적용
비와 비례식은 중등 수학을 대비하는 의미도 포함. 강추 교재!!

4학년 구성과 특징

1, 2권은 자연수의 곱셈과 나눗셈을 마무리하는 책입니다. 큰 수의 곱셈과 나눗셈을 공부하면서 0이 있는 많은 셈의 규칙을 살펴봅니다. 3권은 분모가 같은 분수의 덧셈과 뺄셈, 4권은 소수의 덧셈과 뺄셈은 원리를 이해하고, 충분한 연습을 하도록 했습니다.

원리

원리를 직관적으로 이해하고 쉽게 공부할 수 있도록 하였습니다.

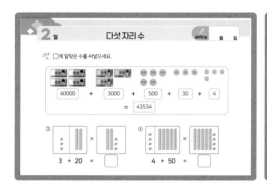
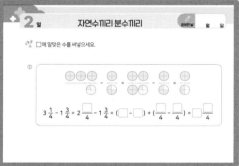

다양한 계산 방법

다양한 계산 방법을 공부함으로써 수를 다루는 감각을 키우고, 상황에 따라 더 정확하고 빠른 계산을 할 수 있도록 하였습니다.

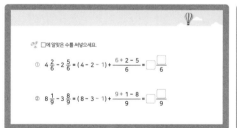

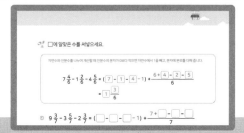

연습

기본 연습 문제를 중심으로 여러 형태의 문제로 지루하지 않게 반복하여 연습할 수 있도록 구성하였습니다.

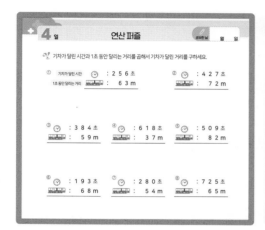

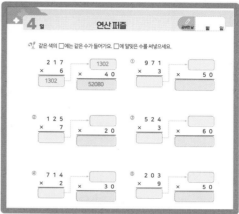

도전! 계산왕

주제가 구분되는 두 개의 단원은 정확성과 빠른 계산을 위한 집중 연습으로 주제를 마무리 합니다.

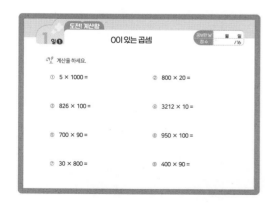

성취도 평가

개념의 이해와 연산의 수행에 부족한 부분은 없는지 성취도 평가를 통해 확인합니다.

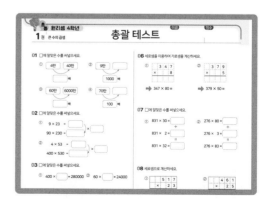

원리셈 100% 활용하기

✔ 책의 사이사이에 학생의 학습을 돕기 위한 저자의 내용을 잘 이용하세요.

📑 단원의 학습 내용과 방향

한 주차가 시작되는 쪽의 아래에 그 단원의 학습 내용과 어떤 방향으로 공부하는지를 설명해 놓았습니다.
학부모님이나 학생이 단원을 시작하기 전에 가볍게 읽어 보고 공부하도록 해 주세요.

📚 이해를 돕는 저자의 동영상 강의

처음 접하는 원리/개념과 연산 방법의 이해를 돕기 위한 동영상 강의가 있으니 이해가 어려운 내용은 QR코드를
이용하여 편리하게 동영상 강의를 보고, 공부하도록 하세요.

학습 동영상

📘 학습 Tip   간략한 도움글은 각 쪽의 아래에 있습니다.

📝 천종현수학연구소 네이버 카페와 홈페이지를 활용하세요.

카페와 홈페이지에는 추가 문제 자료가 있고, 연산 외에서 수학 학습에 어려움을 상담 받을 수 있습니다.

네이버에서 천종현수학연구소를 검색하세요.

· 1 주차 ·
분수의 이해

본격적인 분수 연산을 하기 전에 분수의 여러 가지 의미를 학습합니다. 1, 2, 3일차에는 주어진 상황에 대한 분수 개념의 의미를 배우고, 4일차에는 똑같은 상황을 다른 분수로 나타내는 연습을 합니다. 5일차에는 가분수를 대분수로, 대분수를 가분수로 바꾸는 연습을 합니다.

전체 중 부분의 크기

🎯 전체에 대하여 색칠된 부분을 분수로 나타내어 보세요.

① 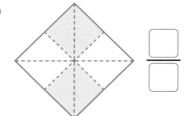 $\dfrac{\square}{\square}$

② $\dfrac{\square}{\square}$

③ 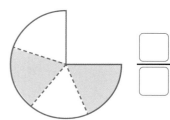 $\dfrac{\square}{\square}$

④ 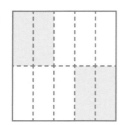 $\dfrac{\square}{\square}$

⑤ 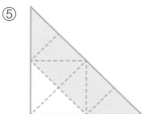 $\dfrac{\square}{\square}$

⑥ 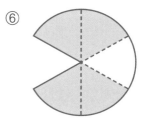 $\dfrac{\square}{\square}$

🎯 그림에 선을 그어 더 작은 부분으로 나누어 색칠된 부분을 분수로 나타내어 보세요.

⑦ 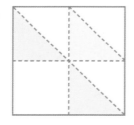 $\dfrac{\square}{\square}$

⑧ 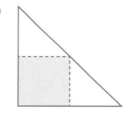 $\dfrac{\square}{\square}$

⑨ 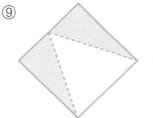 $\dfrac{\square}{\square}$

⑩ 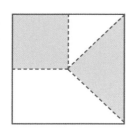 $\dfrac{\square}{\square}$

⑪ 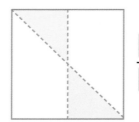 $\dfrac{\square}{\square}$

⑫ 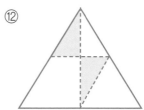 $\dfrac{\square}{\square}$

Tip

전체 칸의 수에 대해서 색칠된 칸의 수를 비교하여 분수로 나타냅니다. 예를 들어 10칸 중에 색칠한 칸이 6개 있다면 $\dfrac{6}{10}$으로 나타냅니다.

똑같이 자른 케이크 한 조각을 다시 한 번 잘랐습니다. 색칠된 케이크는 전체 케이크의 몇 분의 몇인지 구하세요.

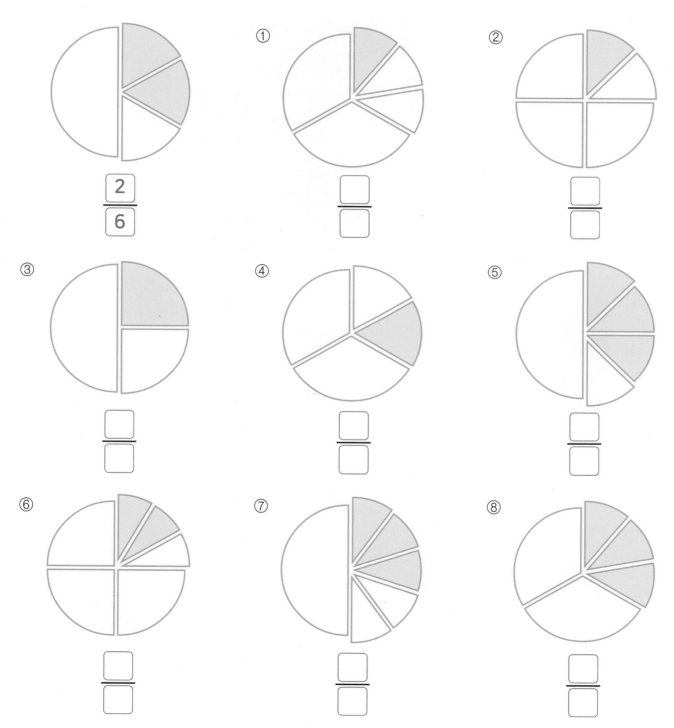

$$\frac{2}{6}$$

각각의 칠교 조각은 칠교판 전체의 몇 분의 몇인지 구하세요.

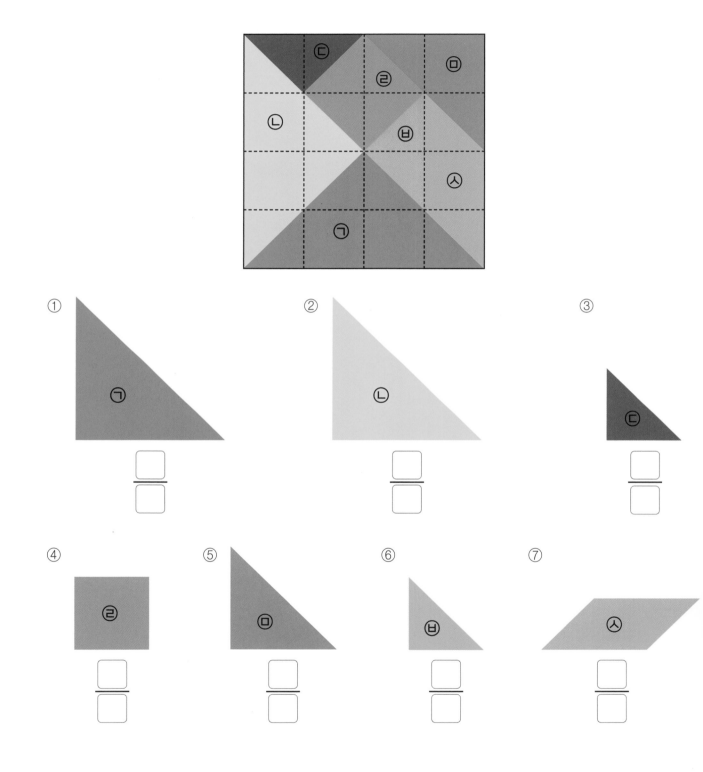

① ㄱ
$$\frac{\square}{\square}$$

② ㄴ
$$\frac{\square}{\square}$$

③ ㄷ
$$\frac{\square}{\square}$$

④ ㄹ
$$\frac{\square}{\square}$$

⑤ ㅁ
$$\frac{\square}{\square}$$

⑥ ㅂ
$$\frac{\square}{\square}$$

⑦ ㅅ
$$\frac{\square}{\square}$$

2일

두 양의 비교

 공부한 날   월   일

- 분수는 두 양을 비교할 때 사용합니다.

- 다음 그림에서 오른쪽 도형은 왼쪽 도형의 $\frac{6}{9}$이고, 왼쪽 도형은 오른쪽 도형의 $\frac{9}{6}$입니다.

비교가 되는 양 → $\boxed{9}$

기준이 되는 양 → $\boxed{6}$

$\boxed{6}$ ← 비교가 되는 양

$\boxed{9}$ ← 기준이 되는 양

🧐 □ 안의 도형은 왼쪽 도형의 몇 분의 몇인지 구하세요.

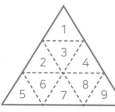

① $\dfrac{\boxed{}}{\boxed{}}$ ② $\dfrac{\boxed{}}{\boxed{}}$

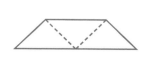

③ $\dfrac{\boxed{}}{\boxed{}}$ ④ $\dfrac{\boxed{}}{\boxed{}}$

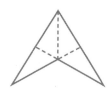

⑤  $\dfrac{\boxed{}}{\boxed{}}$ ⑥ 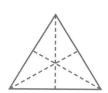 $\dfrac{\boxed{}}{\boxed{}}$

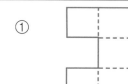

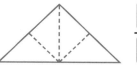

□ 안의 도형은 왼쪽 도형의 몇 분의 몇인지 구하세요.

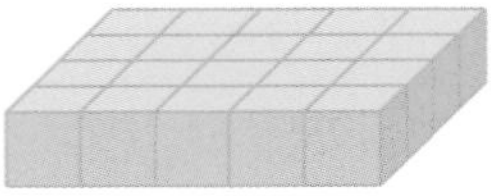

① □/□

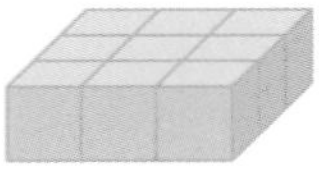

② □/□

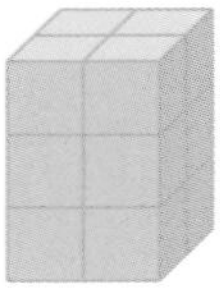

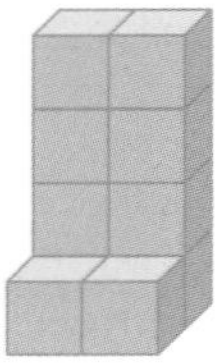

③ □/□

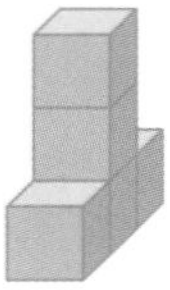

④ □/□

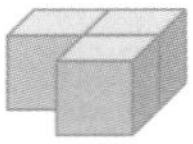

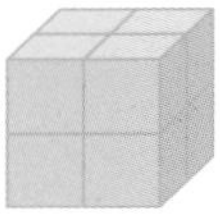

⑤ □/□

⑥ □/□

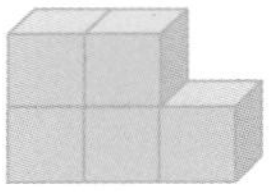

⑦ □/□

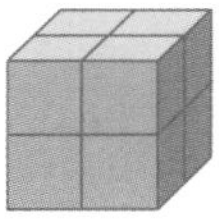

⑧ □/□

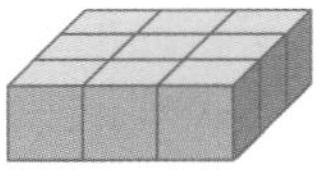

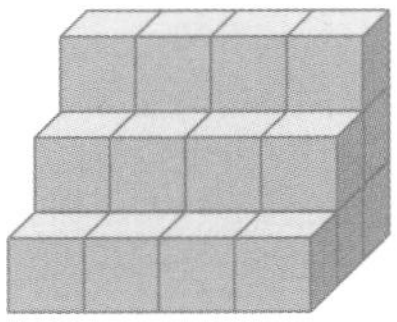

⑨ □/□

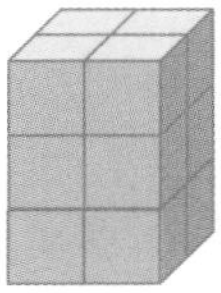

⑩ □/□

칠교 조각이 다른 칠교 조각의 몇 분의 몇인지 구하세요.

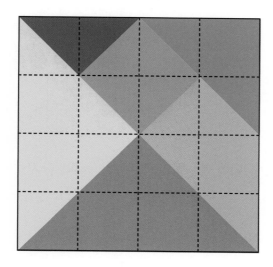

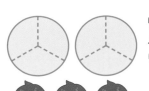
빵을 3등분해서 한 사람당 2조각씩 먹습니다.

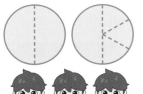
빵을 2등분해서 한 조각씩 먹고 남은 한 조각을 다시 3등분해서 한 조각씩 먹습니다.

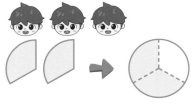

$$2 \div 3 = \frac{2}{3}$$

• 나누는 방법은 다르지만 한 사람이 먹는 빵의 양은 똑같습니다. 한 사람이 먹는 빵의 양을 분수로 나타내면 $\frac{2}{3}$입니다. 이와 같이 분수는 나머지가 없도록 분자를 분모로 똑같이 나눈 몫이라는 의미가 있습니다.

🐛 빵을 똑같이 나누어 먹을 때, 빵과 사람의 수를 보고 한 사람이 먹는 빵의 양을 분수로 나타내세요.

①

②

③

④

⑤

⑥

나눗셈을 분수로 나타내세요.

$5 \div 3 = \dfrac{5}{3}$

① $7 \div 2 = \dfrac{\square}{\square}$

② $11 \div 8 = \dfrac{\square}{\square}$

③ $2 \div 5 = \dfrac{\square}{\square}$

④ $8 \div 13 = \dfrac{\square}{\square}$

⑤ $15 \div 4 = \dfrac{\square}{\square}$

⑥ $4 \div 10 = \dfrac{\square}{\square}$

⑦ $1 \div 7 = \dfrac{\square}{\square}$

⑧ $6 \div 16 = \dfrac{\square}{\square}$

⑨ $8 \div 7 = \dfrac{\square}{\square}$

⑩ $3 \div 8 = \dfrac{\square}{\square}$

⑪ $11 \div 3 = \dfrac{\square}{\square}$

⑫ $5 \div 7 = \dfrac{\square}{\square}$

⑬ $9 \div 8 = \dfrac{\square}{\square}$

⑭ $14 \div 9 = \dfrac{\square}{\square}$

⑮ $9 \div 13 = \dfrac{\square}{\square}$

⑯ $1 \div 8 = \dfrac{\square}{\square}$

⑰ $7 \div 15 = \dfrac{\square}{\square}$

분수를 나눗셈으로 나타내세요.

$\dfrac{3}{8}$ = $\boxed{3}$ ÷ $\boxed{8}$

① $\dfrac{6}{7}$ = ☐ ÷ ☐

② $\dfrac{5}{3}$ = ☐ ÷ ☐

③ $\dfrac{11}{6}$ = ☐ ÷ ☐

④ $\dfrac{2}{9}$ = ☐ ÷ ☐

⑤ $\dfrac{13}{11}$ = ☐ ÷ ☐

⑥ $\dfrac{2}{10}$ = ☐ ÷ ☐

⑦ $\dfrac{1}{7}$ = ☐ ÷ ☐

⑧ $\dfrac{8}{2}$ = ☐ ÷ ☐

⑨ $\dfrac{11}{13}$ = ☐ ÷ ☐

⑩ $\dfrac{5}{8}$ = ☐ ÷ ☐

⑪ $\dfrac{9}{7}$ = ☐ ÷ ☐

⑫ $\dfrac{13}{7}$ = ☐ ÷ ☐

⑬ $\dfrac{9}{8}$ = ☐ ÷ ☐

⑭ $\dfrac{5}{6}$ = ☐ ÷ ☐

⑮ $\dfrac{15}{14}$ = ☐ ÷ ☐

⑯ $\dfrac{4}{9}$ = ☐ ÷ ☐

⑰ $\dfrac{4}{7}$ = ☐ ÷ ☐

- 전체를 똑같이 4조각으로 나눈 것 중에 색칠된 1조각을 $\frac{1}{4}$ 이라 고 나타냅니다.

- 4조각을 두 조각씩 똑같이 나누면 8조각이 되고, 색칠된 부분은 8조각 중에 2조각이기 때문에 $\frac{2}{8}$ 라고 나타냅니다.

아래 모양은 위 모양의 조각들을 몇 조각씩 똑같이 나눈 것입니다. 전체에 대하여 색칠된 부 분을 분수로 나타내어 보세요.

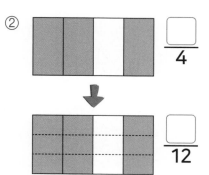

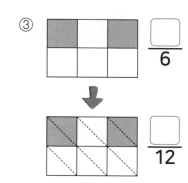

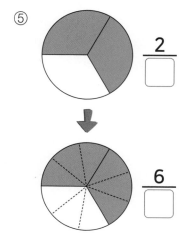

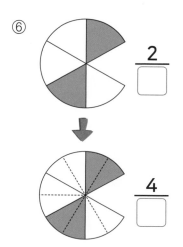

색칠된 부분을 여러 가지 분수로 나타내려고 합니다. □에 알맞은 수를 써넣으세요.

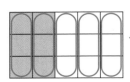

15조각 중에 6조각 → $\dfrac{6}{15}$

3조각씩 5묶음 중에 2묶음 → $\dfrac{2}{5}$

①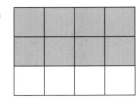

$\dfrac{\boxed{}}{12} = \dfrac{\boxed{}}{6} = \dfrac{\boxed{}}{3}$

②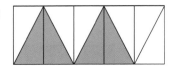

$\dfrac{\boxed{}}{10} = \dfrac{\boxed{}}{5}$

③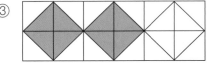

$\dfrac{\boxed{}}{24} = \dfrac{\boxed{}}{12} = \dfrac{\boxed{}}{6}$

④

$\dfrac{2}{\boxed{}} = \dfrac{1}{\boxed{}}$

⑤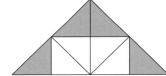

$\dfrac{4}{\boxed{}} = \dfrac{2}{\boxed{}} = \dfrac{1}{\boxed{}}$

⑥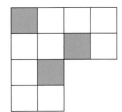

$\dfrac{3}{\boxed{}} = \dfrac{1}{\boxed{}}$

⑦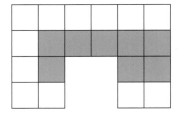

$\dfrac{8}{\boxed{}} = \dfrac{4}{\boxed{}} = \dfrac{2}{\boxed{}}$

먹은 과일의 수는 먹지 않은 과일의 수의 몇 분의 몇인지 구하려고 합니다. □에 알맞은 수를 써넣으세요.

9개와 3개 → $\dfrac{3}{9}$

3개씩 3묶음과 3개씩 1묶음 → $\dfrac{1}{3}$

①

$$\dfrac{4}{\boxed{}} = \dfrac{2}{\boxed{}} = \dfrac{1}{\boxed{}}$$

②

$$\dfrac{9}{\boxed{}} = \dfrac{3}{\boxed{}}$$

③

$$\dfrac{6}{\boxed{}} = \dfrac{3}{\boxed{}} = \dfrac{2}{\boxed{}}$$

④

$$\dfrac{\boxed{}}{10} = \dfrac{\boxed{}}{5}$$

⑤

$$\dfrac{\boxed{}}{8} = \dfrac{\boxed{}}{4} = \dfrac{\boxed{}}{2}$$

⑥

$$\dfrac{\boxed{}}{6} = \dfrac{\boxed{}}{2}$$

⑦

$$\dfrac{\boxed{}}{16} = \dfrac{\boxed{}}{8} = \dfrac{\boxed{}}{4}$$

자연수는 분수로, 분수는 자연수로 바꾸세요.

$3 = \dfrac{9}{3}$

$\dfrac{6}{2} = 3$

① $5 = \dfrac{\boxed{}}{5}$

② $\dfrac{21}{3} = \boxed{}$

③ $10 = \dfrac{\boxed{}}{7}$

④ $\dfrac{35}{7} = \boxed{}$

⑤ $\dfrac{45}{5} = \boxed{}$

⑥ $2 = \dfrac{\boxed{}}{2}$

⑦ $4 = \dfrac{\boxed{}}{7}$

⑧ $\dfrac{30}{3} = \boxed{}$

⑨ $\dfrac{24}{2} = \boxed{}$

⑩ $6 = \dfrac{\boxed{}}{5}$

⑪ $\dfrac{25}{5} = \boxed{}$

⑫ $3 = \dfrac{\boxed{}}{11}$

⑬ $\dfrac{24}{6} = \boxed{}$

⑭ $2 = \dfrac{\boxed{}}{9}$

⑮ $8 = \dfrac{\boxed{}}{3}$

⑯ $\dfrac{39}{13} = \boxed{}$

⑰ $\dfrac{40}{10} = \boxed{}$

⑱ $4 = \dfrac{\boxed{}}{3}$

 가분수를 대분수로 바꾸세요.

$\dfrac{11}{5} = \boxed{2}\,\dfrac{\boxed{1}}{\boxed{5}}$

① $\dfrac{17}{3} = \boxed{}\,\dfrac{\boxed{}}{\boxed{}}$

② $\dfrac{19}{4} = \boxed{}\,\dfrac{\boxed{}}{\boxed{}}$

③ $\dfrac{45}{6} = \boxed{}\,\dfrac{\boxed{}}{\boxed{}}$

④ $\dfrac{25}{7} = \boxed{}\,\dfrac{\boxed{}}{\boxed{}}$

⑤ $\dfrac{5}{2} = \boxed{}\,\dfrac{\boxed{}}{\boxed{}}$

⑥ $\dfrac{20}{3} = \boxed{}\,\dfrac{\boxed{}}{\boxed{}}$

⑦ $\dfrac{74}{8} = \boxed{}\,\dfrac{\boxed{}}{\boxed{}}$

⑧ $\dfrac{11}{2} = \boxed{}\,\dfrac{\boxed{}}{\boxed{}}$

⑨ $\dfrac{43}{4} = \boxed{}\,\dfrac{\boxed{}}{\boxed{}}$

⑩ $\dfrac{67}{6} = \boxed{}\,\dfrac{\boxed{}}{\boxed{}}$

⑪ $\dfrac{8}{3} = \boxed{}\,\dfrac{\boxed{}}{\boxed{}}$

⑫ $\dfrac{33}{10} = \boxed{}\,\dfrac{\boxed{}}{\boxed{}}$

⑬ $\dfrac{16}{10} = \boxed{}\,\dfrac{\boxed{}}{\boxed{}}$

⑭ $\dfrac{30}{7} = \boxed{}\,\dfrac{\boxed{}}{\boxed{}}$

⑮ $\dfrac{25}{2} = \boxed{}\,\dfrac{\boxed{}}{\boxed{}}$

⑯ $\dfrac{26}{4} = \boxed{}\,\dfrac{\boxed{}}{\boxed{}}$

⑰ $\dfrac{59}{6} = \boxed{}\,\dfrac{\boxed{}}{\boxed{}}$

대분수를 가분수로 바꾸세요.

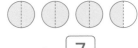

$3\frac{1}{2} = \dfrac{7}{2}$

① $4\frac{2}{5} = \dfrac{\square}{\square}$

② $5\frac{3}{7} = \dfrac{\square}{\square}$

③ $2\frac{7}{8} = \dfrac{\square}{\square}$

④ $7\frac{2}{3} = \dfrac{\square}{\square}$

⑤ $5\frac{5}{9} = \dfrac{\square}{\square}$

⑥ $3\frac{3}{4} = \dfrac{\square}{\square}$

⑦ $8\frac{3}{9} = \dfrac{\square}{\square}$

⑧ $4\frac{3}{10} = \dfrac{\square}{\square}$

⑨ $9\frac{1}{2} = \dfrac{\square}{\square}$

⑩ $5\frac{2}{7} = \dfrac{\square}{\square}$

⑪ $6\frac{5}{8} = \dfrac{\square}{\square}$

⑫ $2\frac{2}{7} = \dfrac{\square}{\square}$

⑬ $10\frac{1}{6} = \dfrac{\square}{\square}$

⑭ $7\frac{3}{5} = \dfrac{\square}{\square}$

⑮ $5\frac{3}{8} = \dfrac{\square}{\square}$

⑯ $4\frac{4}{9} = \dfrac{\square}{\square}$

⑰ $6\frac{5}{6} = \dfrac{\square}{\square}$

· **2**주차 ·

진분수와 가분수의 덧셈과 뺄셈

분모가 같은 진분수와 가분수의 덧셈과 뺄셈은 분모를 그대로 쓰고, 분자를 더하면 됩니다. 계산 과정이 복잡하거나 어렵지는 않습니다. 이 단원에서는 기본 문제에 대한 연습 후 4일 차에 수 감각을 키울 수 있는 문제를 공부하도록 하였습니다.

동영상 해설

🐶 □에 알맞은 수를 써넣으세요.

$$\frac{5}{8}+\frac{1}{8}=\frac{6}{8}$$　　　　$$\frac{2}{5}+\frac{2}{5}=\frac{4}{5}$$

① $\frac{2}{3}+\frac{1}{3}=$ 　　　② $\frac{9}{6}+\frac{5}{6}=$ 　　　③ $\frac{2}{7}+\frac{6}{7}=$

④ $\frac{5}{4}+\frac{3}{4}=$ 　　　⑤ $\frac{5}{9}+\frac{2}{9}=$ 　　　⑥ $\frac{3}{8}+\frac{4}{8}=$

⑦ $\frac{5}{6}+\frac{4}{6}=$ 　　　⑧ $\frac{10}{6}+\frac{5}{6}=$ 　　　⑨ $\frac{7}{9}+\frac{12}{9}=$

⑩ $\frac{4}{17}+\frac{5}{17}=$ 　　　⑪ $\frac{9}{22}+\frac{17}{22}=$ 　　　⑫ $\frac{21}{35}+\frac{9}{35}=$

⑬ $\frac{35}{41}+\frac{8}{41}=$ 　　　⑭ $\frac{23}{19}+\frac{5}{19}=$ 　　　⑮ $\frac{35}{34}+\frac{49}{34}=$

🎈 사다리를 타면서 계산하여 □에 알맞은 수를 써넣으세요.

① $\dfrac{3}{6}$ $\dfrac{5}{6}$ $\dfrac{2}{6}$

$+\dfrac{1}{6}$

$+\dfrac{4}{6}$

$+\dfrac{7}{6}$

② $\dfrac{3}{9}$ $\dfrac{2}{9}$ $\dfrac{7}{9}$

$+\dfrac{2}{9}$

$+\dfrac{3}{9}$

$+\dfrac{1}{9}$

③ $\dfrac{7}{16}$ $\dfrac{22}{16}$ $\dfrac{15}{16}$

$+\dfrac{3}{16}$

$+\dfrac{4}{16}$

$+\dfrac{3}{16}$

④ $\dfrac{9}{23}$ $\dfrac{40}{23}$ $\dfrac{13}{23}$

$+\dfrac{31}{23}$

$+\dfrac{1}{23}$

$+\dfrac{19}{23}$

합이 ◇ 안의 수가 되는 두 수에 ◯표 하세요.

◇ $\frac{5}{6}$ $\frac{4}{6}$ $\frac{2}{6}$ $\frac{1}{6}$ $\frac{6}{6}$ ◇ 1 $\frac{2}{7}$ $\frac{3}{7}$ $\frac{4}{7}$ $\frac{1}{7}$

◇ $\frac{9}{5}$ $\frac{1}{5}$ $\frac{6}{5}$ $\frac{3}{5}$ $\frac{4}{5}$ ◇ $\frac{13}{10}$ $\frac{7}{10}$ $\frac{2}{10}$ $\frac{6}{10}$ $\frac{9}{10}$

◇ $\frac{15}{17}$ $\frac{9}{17}$ $\frac{12}{17}$ $\frac{6}{17}$ $\frac{18}{17}$ ◇ $\frac{43}{21}$ $\frac{16}{21}$ $\frac{27}{21}$ $\frac{6}{21}$ $\frac{19}{21}$

합이 ◯ 안의 수가 되는 두 수에 ◯표 하세요.

◯ $\frac{10}{6}$ $\frac{4}{6}$ $\frac{2}{6}$ $\frac{7}{6}$ $\frac{5}{6}$ $\frac{1}{6}$ $\frac{6}{6}$

◯ $\frac{9}{8}$ $\frac{1}{8}$ $\frac{3}{8}$ $\frac{4}{8}$ $\frac{5}{8}$ $\frac{7}{8}$ $\frac{9}{8}$

◯ $\frac{21}{16}$ $\frac{4}{16}$ $\frac{15}{16}$ $\frac{8}{16}$ $\frac{5}{16}$ $\frac{12}{16}$ $\frac{6}{16}$

□에 알맞은 수를 써넣으세요.

$$\frac{5}{8} - \frac{1}{8} = \frac{\boxed{4}}{\boxed{8}}$$

$$\frac{5}{6} - \frac{2}{6} = \frac{\boxed{3}}{\boxed{6}}$$

① $\dfrac{6}{8} - \dfrac{4}{8} =$

② $\dfrac{4}{5} - \dfrac{2}{5} =$

③ $\dfrac{6}{7} - \dfrac{3}{7} =$

④ $\dfrac{7}{3} - \dfrac{5}{3} =$

⑤ $\dfrac{4}{6} - \dfrac{1}{6} =$

⑥ $\dfrac{13}{9} - \dfrac{10}{9} =$

⑦ $\dfrac{9}{11} - \dfrac{2}{11} =$

⑧ $\dfrac{22}{15} - \dfrac{4}{15} =$

⑨ $\dfrac{21}{19} - \dfrac{1}{19} =$

⑩ $\dfrac{19}{23} - \dfrac{8}{23} =$

⑪ $\dfrac{43}{35} - \dfrac{37}{35} =$

⑫ $\dfrac{53}{19} - \dfrac{29}{19} =$

⑬ $\dfrac{36}{36} - \dfrac{10}{36} =$

⑭ $\dfrac{53}{45} - \dfrac{9}{45} =$

⑮ $\dfrac{61}{33} - \dfrac{48}{33} =$

사다리를 타면서 계산하여 □에 알맞은 수를 써넣으세요.

①
$\dfrac{8}{7}$ $\dfrac{11}{7}$ $\dfrac{15}{7}$

$-\dfrac{6}{7}$

$-\dfrac{5}{7}$

$-\dfrac{2}{7}$

②
$\dfrac{7}{8}$ $\dfrac{13}{8}$ $\dfrac{9}{8}$

$-\dfrac{2}{8}$

$-\dfrac{3}{8}$

$-\dfrac{4}{8}$

③
$\dfrac{14}{19}$ $\dfrac{9}{19}$ $\dfrac{12}{19}$

$-\dfrac{8}{19}$

$-\dfrac{1}{19}$

$-\dfrac{2}{19}$

④
$\dfrac{16}{9}$ $\dfrac{22}{9}$ $\dfrac{32}{9}$

$-\dfrac{2}{9}$

$-\dfrac{4}{9}$

$-\dfrac{1}{9}$

▷ 안의 수에서 두 수를 빼면 ◁ 안의 수가 됩니다. 두 수에 ◯표 하세요.

$\frac{8}{8}$ ▷ $\frac{3}{8}$ $\frac{1}{8}$ $\frac{5}{8}$ ◁ $\frac{2}{8}$

$\frac{5}{6}$ ▷ $\frac{1}{6}$ $\frac{2}{6}$ $\frac{3}{6}$ ◁ $\frac{1}{6}$

$\frac{9}{7}$ ▷ $\frac{2}{7}$ $\frac{4}{7}$ $\frac{5}{7}$ ◁ $\frac{3}{7}$

$\frac{13}{9}$ ▷ $\frac{3}{9}$ $\frac{4}{9}$ $\frac{5}{9}$ ◁ $\frac{5}{9}$

$\frac{7}{8}$ ▷ $\frac{5}{8}$ $\frac{4}{8}$ $\frac{1}{8}$ ◁ $\frac{2}{8}$

$\frac{9}{5}$ ▷ $\frac{4}{5}$ $\frac{2}{5}$ $\frac{3}{5}$ ◁ $\frac{3}{5}$

$\frac{8}{13}$ ▷ $\frac{4}{13}$ $\frac{5}{13}$ $\frac{3}{13}$ ◁ $\frac{1}{13}$

$\frac{13}{16}$ ▷ $\frac{5}{16}$ $\frac{3}{16}$ $\frac{4}{16}$ ◁ $\frac{4}{16}$

$\frac{22}{7}$ ▷ $\frac{8}{7}$ $\frac{7}{7}$ $\frac{9}{7}$ ◁ $\frac{6}{7}$

$\frac{16}{15}$ ▷ $\frac{4}{15}$ $\frac{8}{15}$ $\frac{5}{15}$ ◁ $\frac{4}{15}$

$\frac{27}{36}$ ▷ $\frac{12}{36}$ $\frac{2}{36}$ $\frac{14}{36}$ ◁ $\frac{11}{36}$

$\frac{38}{16}$ ▷ $\frac{14}{16}$ $\frac{17}{16}$ $\frac{15}{16}$ ◁ $\frac{7}{16}$

계산을 하세요.

$$\frac{2}{4} + \frac{3}{4} - \frac{4}{4} = \frac{1}{4} \qquad \frac{4}{6} + \frac{4}{6} - \frac{3}{6} = \frac{5}{6}$$

① $\dfrac{2}{3} + \dfrac{1}{3} - \dfrac{2}{3} =$

② $\dfrac{7}{5} + \dfrac{4}{5} - \dfrac{3}{5} =$

③ $\dfrac{5}{7} + \dfrac{1}{7} - \dfrac{4}{7} =$

④ $\dfrac{4}{6} + \dfrac{5}{6} - \dfrac{3}{6} =$

⑤ $\dfrac{9}{11} + \dfrac{13}{11} - \dfrac{7}{11} =$

⑥ $\dfrac{21}{15} + \dfrac{3}{15} - \dfrac{11}{15} =$

⑦ $\dfrac{3}{23} + \dfrac{19}{23} - \dfrac{12}{23} =$

⑧ $\dfrac{19}{14} + \dfrac{21}{14} - \dfrac{17}{14} =$

⑨ $\dfrac{35}{35} + \dfrac{9}{35} - \dfrac{22}{35} =$

⑩ $\dfrac{16}{52} + \dfrac{23}{52} - \dfrac{25}{52} =$

계산을 하세요.

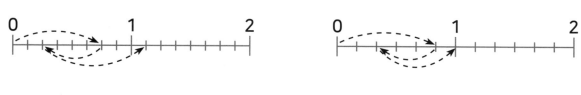

$$\frac{6}{8} - \frac{4}{8} + \frac{7}{8} = \frac{9}{8}$$

$$\frac{5}{6} - \frac{3}{6} + \frac{4}{6} = \frac{6}{6}$$

① $\dfrac{6}{7} - \dfrac{2}{7} + \dfrac{5}{7} =$

② $\dfrac{7}{5} - \dfrac{4}{5} + \dfrac{3}{5} =$

③ $\dfrac{4}{5} - \dfrac{3}{5} + \dfrac{5}{5} =$

④ $\dfrac{5}{6} - \dfrac{3}{6} + \dfrac{1}{6} =$

⑤ $\dfrac{8}{9} - \dfrac{6}{9} + \dfrac{7}{9} =$

⑥ $\dfrac{7}{4} - \dfrac{5}{4} + \dfrac{4}{4} =$

⑦ $\dfrac{10}{16} - \dfrac{4}{16} + \dfrac{9}{16} =$

⑧ $\dfrac{36}{23} - \dfrac{8}{23} + \dfrac{16}{23} =$

⑨ $\dfrac{37}{41} - \dfrac{19}{41} + \dfrac{20}{41} =$

⑩ $\dfrac{72}{24} - \dfrac{38}{24} + \dfrac{15}{24} =$

이웃한 ◯ 안의 두 분수의 차를 🌿에 써넣었습니다. 빈 곳에 알맞은 분수를 써넣으세요.

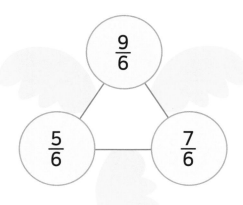

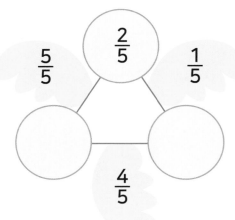

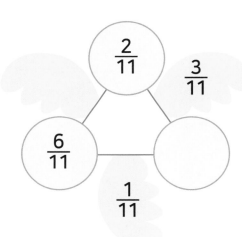

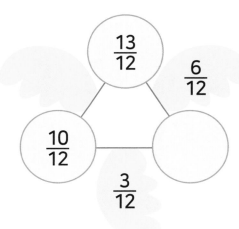

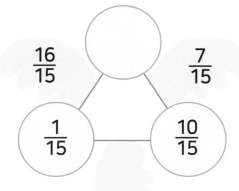

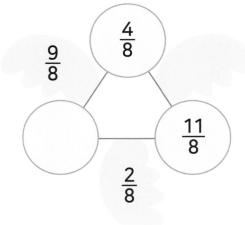

4일 연산 퍼즐

가로와 세로로 놓인 세 수의 합이 같도록 빈칸에 알맞은 수를 채우세요.

1

$\dfrac{2}{9}$	$\dfrac{5}{9}$	
	$\dfrac{1}{9}$	$\dfrac{3}{9}$
	$\dfrac{3}{9}$	

2

	$\dfrac{1}{12}$	$\dfrac{4}{12}$
		$\dfrac{3}{12}$
$\dfrac{3}{12}$		$\dfrac{4}{12}$

3

$\dfrac{7}{24}$	$\dfrac{3}{24}$	$\dfrac{2}{24}$
		$\dfrac{4}{24}$
$\dfrac{2}{24}$		

4

$\dfrac{2}{10}$		$\dfrac{6}{10}$
$\dfrac{5}{10}$	$\dfrac{4}{10}$	
$\dfrac{3}{10}$		

5

		$\dfrac{3}{13}$
$\dfrac{7}{13}$	$\dfrac{2}{13}$	$\dfrac{4}{13}$
$\dfrac{1}{13}$		

6

$\dfrac{4}{2}$	$\dfrac{6}{2}$	$\dfrac{1}{2}$
$\dfrac{2}{2}$		
	$\dfrac{5}{2}$	

 계산 결과가 1이 되도록 ◯에 **+** , **−** 를 써넣으세요.

① $\dfrac{3}{4}$ ◯ $\dfrac{2}{4}$ ◯ $\dfrac{1}{4}$ = 1

② $\dfrac{2}{5}$ ◯ $\dfrac{1}{5}$ ◯ $\dfrac{4}{5}$ = 1

③ $\dfrac{5}{7}$ ◯ $\dfrac{6}{7}$ ◯ $\dfrac{4}{7}$ = 1

④ $\dfrac{16}{9}$ ◯ $\dfrac{3}{9}$ ◯ $\dfrac{4}{9}$ = 1

⑤ $\dfrac{9}{8}$ ◯ $\dfrac{5}{8}$ ◯ $\dfrac{4}{8}$ = 1

⑥ $\dfrac{17}{10}$ ◯ $\dfrac{3}{10}$ ◯ $\dfrac{4}{10}$ = 1

⑦ $\dfrac{13}{9}$ ◯ $\dfrac{8}{9}$ ◯ $\dfrac{4}{9}$ = 1

⑧ $\dfrac{12}{11}$ ◯ $\dfrac{9}{11}$ ◯ $\dfrac{10}{11}$ = 1

⑨ $\dfrac{8}{13}$ ◯ $\dfrac{9}{13}$ ◯ $\dfrac{4}{13}$ = 1

⑩ $\dfrac{11}{15}$ ◯ $\dfrac{10}{15}$ ◯ $\dfrac{6}{15}$ = 1

⑪ $\dfrac{15}{10}$ ◯ $\dfrac{9}{10}$ ◯ $\dfrac{4}{10}$ = 1

⑫ $\dfrac{7}{12}$ ◯ $\dfrac{3}{12}$ ◯ $\dfrac{2}{12}$ = 1

⑬ $\dfrac{6}{14}$ ◯ $\dfrac{3}{14}$ ◯ $\dfrac{11}{14}$ = 1

⑭ $\dfrac{32}{25}$ ◯ $\dfrac{19}{25}$ ◯ $\dfrac{12}{25}$ = 1

□에 알맞은 수를 써넣으세요.

① $\dfrac{3}{4} + \dfrac{1}{4} - \dfrac{\Box}{\Box} = \dfrac{2}{4}$

② $\dfrac{4}{5} - \dfrac{3}{5} + \dfrac{\Box}{\Box} = \dfrac{7}{5}$

③ $\dfrac{5}{7} + \dfrac{6}{7} - \dfrac{\Box}{\Box} = \dfrac{5}{7}$

④ $\dfrac{10}{9} - \dfrac{4}{9} + \dfrac{\Box}{\Box} = \dfrac{8}{9}$

⑤ $\dfrac{9}{10} + \dfrac{5}{10} - \dfrac{\Box}{\Box} = \dfrac{6}{10}$

⑥ $\dfrac{8}{11} - \dfrac{1}{11} + \dfrac{\Box}{\Box} = \dfrac{15}{11}$

⑦ $\dfrac{5}{6} + \dfrac{4}{6} - \dfrac{\Box}{\Box} = \dfrac{6}{6}$

⑧ $\dfrac{10}{8} - \dfrac{4}{8} + \dfrac{\Box}{\Box} = \dfrac{7}{8}$

⑨ $\dfrac{9}{12} + \dfrac{10}{12} - \dfrac{\Box}{\Box} = \dfrac{17}{12}$

⑩ $\dfrac{13}{10} - \dfrac{7}{10} + \dfrac{\Box}{\Box} = \dfrac{11}{10}$

⑪ $\dfrac{13}{14} + \dfrac{7}{14} - \dfrac{\Box}{\Box} = \dfrac{12}{14}$

⑫ $\dfrac{14}{21} - \dfrac{7}{21} + \dfrac{\Box}{\Box} = \dfrac{26}{21}$

⑬ $\dfrac{26}{36} + \dfrac{17}{36} - \dfrac{\Box}{\Box} = \dfrac{11}{36}$

⑭ $\dfrac{60}{48} - \dfrac{27}{48} + \dfrac{\Box}{\Box} = \dfrac{55}{48}$

글을 보고 물음에 알맞은 식을 세우고 답을 구하세요.

> 어머니께서 귤 16개를 사 오셨는데 아버지께서 5개, 형이 6개, 동생이 3개를 먹었습니다.
>
>

① 전체 귤 중에서 형제가 먹은 귤의 양을 분수로 나타내세요.

    식 : _____   답 : _____

② 전체 귤 중에서 아버지와 형이 먹은 귤의 양을 분수로 나타내세요.

    식 : _____   답 : _____

③ 아버지와 동생이 먹은 귤의 차이는 전체 귤의 얼마만큼인지 분수로 나타내세요.

    식 : _____   답 : _____

문제를 읽고 알맞은 식과 답을 써 보세요.

① 진우와 동생은 아버지를 따라 낚시를 가서 진우는 6마리, 동생은 9마리의 물고기를 잡았습니다. 잡은 물고기가 모두 27마리일 때, 잡은 물고기 중에서 진우와 동생이 잡은 물고기의 양을 분수로 나타내세요.

식 : _____   답 : _____

② 민호는 어머니와 함께 피자 한 판을 나누어서 민호는 전체의 $\frac{3}{8}$ 조각, 어머니는 전체의 $\frac{2}{8}$ 조각을 먹었습니다. 피자 한 판 중에서 두 사람이 먹은 피자의 양을 분수로 나타내세요.

식 : _____   답 : _____

③ 미연이는 빨간색 구슬 14개, 파란색 구슬 9개, 초록색 구슬 6개를 가지고 있습니다. 미연이가 가지고 있는 구슬 중에서 파란색과 초록색 구슬의 양을 분수로 나타내세요.

식 : _____   답 : _____

④ 등산을 하는데 처음에 전체 높이의 $\frac{3}{17}$ 을 올라간 다음 잠시 쉬었다가 다시 전체 높이의 $\frac{8}{17}$ 을 더 올라갔습니다. 산 정상까지의 높이 중에서 현재까지 올라온 높이를 분수로 나타내세요.

식 : _____   답 : _____

문제를 읽고 알맞은 식과 답을 써 보세요.

① 물통의 $\frac{9}{12}$ 를 물로 채웠다가 $\frac{5}{12}$ 를 마시고 다시 $\frac{3}{12}$ 을 채웠습니다. 물통에 남은 물의 양을 분수로 나타내세요.

식 : _____   답 : _____

② 같은 시간 동안 애벌레는 $\frac{7}{3}$ cm, 굼벵이는 $\frac{11}{3}$ cm를 이동하였고, 달팽이는 굼벵이보다 $\frac{4}{3}$ cm 를 더 이동하였습니다. 달팽이는 애벌레보다 몇 cm를 더 이동하였을까요?

식 : _____   답 : _____ cm

③ 구슬 통에 빨간색, 파란색, 노란색 구슬이 들어 있는데 빨간색 구슬은 전체의 $\frac{6}{14}$, 파란색 구 슬은 전체의 $\frac{5}{14}$ 입니다. 전체 구슬 중에서 노란색 구슬의 양을 분수로 나타내세요.

식 : _____   답 : _____

④ 길이가 $\frac{11}{2}$ cm인 파란색 막대와 길이가 $\frac{5}{2}$ cm인 초록색 막대가 있습니다. 노란색 막대가 파 란색, 초록색 막대를 한 줄로 이은 길이보다 $\frac{3}{2}$ cm 더 짧다면 노란색 막대의 길이는 몇 cm일 까요?

식 : _____   답 : _____ cm

· **3**주차 ·

도전! 계산왕

진분수와 가분수의 덧셈과 뺄셈

♧ 계산을 하세요.

① $\dfrac{9}{9} + \dfrac{17}{9} =$

② $\dfrac{9}{6} + \dfrac{12}{6} =$

③ $\dfrac{24}{12} + \dfrac{12}{12} =$

④ $\dfrac{8}{15} + \dfrac{9}{15} =$

⑤ $\dfrac{14}{17} + \dfrac{2}{17} =$

⑥ $\dfrac{4}{25} + \dfrac{35}{25} =$

⑦ $\dfrac{5}{48} + \dfrac{28}{48} =$

⑧ $\dfrac{67}{49} + \dfrac{26}{49} =$

⑨ $\dfrac{52}{99} + \dfrac{1}{99} =$

⑩ $\dfrac{13}{7} - \dfrac{6}{7} =$

⑪ $\dfrac{14}{9} - \dfrac{6}{9} =$

⑫ $\dfrac{19}{10} - \dfrac{10}{10} =$

⑬ $\dfrac{15}{16} - \dfrac{2}{16} =$

⑭ $\dfrac{4}{12} - \dfrac{3}{12} =$

⑮ $\dfrac{12}{25} - \dfrac{6}{25} =$

⑯ $\dfrac{66}{39} - \dfrac{42}{39} =$

⑰ $\dfrac{63}{59} - \dfrac{27}{59} =$

⑱ $\dfrac{9}{72} - \dfrac{5}{72} =$

1일 ❷

진분수와 가분수의 덧셈과 뺄셈

💡 계산을 하세요.

① $\dfrac{10}{5} + \dfrac{5}{5} =$

② $\dfrac{7}{8} + \dfrac{1}{8} =$

③ $\dfrac{2}{11} + \dfrac{10}{11} =$

④ $\dfrac{18}{19} + \dfrac{1}{19} =$

⑤ $\dfrac{10}{17} + \dfrac{13}{17} =$

⑥ $\dfrac{16}{20} + \dfrac{29}{20} =$

⑦ $\dfrac{21}{50} + \dfrac{35}{50} =$

⑧ $\dfrac{11}{47} + \dfrac{32}{47} =$

⑨ $\dfrac{26}{71} + \dfrac{37}{71} =$

⑩ $\dfrac{3}{7} - \dfrac{1}{7} =$

⑪ $\dfrac{11}{6} - \dfrac{5}{6} =$

⑫ $\dfrac{20}{12} - \dfrac{3}{12} =$

⑬ $\dfrac{31}{16} - \dfrac{18}{16} =$

⑭ $\dfrac{28}{18} - \dfrac{10}{18} =$

⑮ $\dfrac{36}{20} - \dfrac{27}{20} =$

⑯ $\dfrac{70}{36} - \dfrac{3}{36} =$

⑰ $\dfrac{4}{46} - \dfrac{3}{46} =$

⑱ $\dfrac{67}{71} - \dfrac{26}{71} =$

2일 ❶ 진분수와 가분수의 덧셈과 뺄셈

🐌 계산을 하세요.

① $\dfrac{4}{6} + \dfrac{6}{6} =$

② $\dfrac{9}{7} + \dfrac{6}{7} =$

③ $\dfrac{8}{10} + \dfrac{9}{10} =$

④ $\dfrac{18}{13} + \dfrac{14}{13} =$

⑤ $\dfrac{15}{18} + \dfrac{8}{18} =$

⑥ $\dfrac{5}{23} + \dfrac{7}{23} =$

⑦ $\dfrac{77}{54} + \dfrac{52}{54} =$

⑧ $\dfrac{34}{46} + \dfrac{1}{46} =$

⑨ $\dfrac{46}{68} + \dfrac{55}{68} =$

⑩ $\dfrac{6}{3} - \dfrac{5}{3} =$

⑪ $\dfrac{2}{5} - \dfrac{1}{5} =$

⑫ $\dfrac{6}{12} - \dfrac{3}{12} =$

⑬ $\dfrac{4}{18} - \dfrac{2}{18} =$

⑭ $\dfrac{27}{19} - \dfrac{24}{19} =$

⑮ $\dfrac{21}{25} - \dfrac{10}{25} =$

⑯ $\dfrac{11}{60} - \dfrac{4}{60} =$

⑰ $\dfrac{49}{27} - \dfrac{31}{27} =$

⑱ $\dfrac{10}{68} - \dfrac{1}{68} =$

도전! 계산왕

진분수와 가분수의 덧셈과 뺄셈

計 계산을 하세요.

① $\dfrac{12}{6} + \dfrac{1}{6} =$

② $\dfrac{6}{8} + \dfrac{4}{8} =$

③ $\dfrac{17}{12} + \dfrac{5}{12} =$

④ $\dfrac{24}{16} + \dfrac{15}{16} =$

⑤ $\dfrac{25}{14} + \dfrac{9}{14} =$

⑥ $\dfrac{11}{24} + \dfrac{32}{24} =$

⑦ $\dfrac{40}{55} + \dfrac{21}{55} =$

⑧ $\dfrac{26}{45} + \dfrac{17}{45} =$

⑨ $\dfrac{52}{74} + \dfrac{20}{74} =$

⑩ $\dfrac{6}{6} - \dfrac{1}{6} =$

⑪ $\dfrac{15}{8} - \dfrac{5}{8} =$

⑫ $\dfrac{9}{12} - \dfrac{1}{12} =$

⑬ $\dfrac{10}{19} - \dfrac{5}{19} =$

⑭ $\dfrac{18}{14} - \dfrac{7}{14} =$

⑮ $\dfrac{18}{23} - \dfrac{12}{23} =$

⑯ $\dfrac{10}{38} - \dfrac{5}{38} =$

⑰ $\dfrac{71}{50} - \dfrac{63}{50} =$

⑱ $\dfrac{85}{72} - \dfrac{47}{72} =$

진분수와 가분수의 덧셈과 뺄셈

계산을 하세요.

① $\dfrac{2}{4} + \dfrac{7}{4} =$

② $\dfrac{1}{4} + \dfrac{1}{4} =$

③ $\dfrac{9}{10} + \dfrac{8}{10} =$

④ $\dfrac{12}{15} + \dfrac{1}{15} =$

⑤ $\dfrac{24}{18} + \dfrac{8}{18} =$

⑥ $\dfrac{7}{24} + \dfrac{20}{24} =$

⑦ $\dfrac{40}{40} + \dfrac{8}{40} =$

⑧ $\dfrac{68}{46} + \dfrac{45}{46} =$

⑨ $\dfrac{46}{31} + \dfrac{34}{31} =$

⑩ $\dfrac{5}{7} - \dfrac{3}{7} =$

⑪ $\dfrac{4}{4} - \dfrac{2}{4} =$

⑫ $\dfrac{9}{10} - \dfrac{2}{10} =$

⑬ $\dfrac{29}{15} - \dfrac{13}{15} =$

⑭ $\dfrac{30}{16} - \dfrac{20}{16} =$

⑮ $\dfrac{40}{21} - \dfrac{21}{21} =$

⑯ $\dfrac{103}{77} - \dfrac{38}{77} =$

⑰ $\dfrac{69}{54} - \dfrac{27}{54} =$

⑱ $\dfrac{68}{79} - \dfrac{41}{79} =$

3일 ❷ 진분수와 가분수의 덧셈과 뺄셈

🎵 계산을 하세요.

① $\dfrac{3}{3} + \dfrac{5}{3} =$

② $\dfrac{3}{5} + \dfrac{4}{5} =$

③ $\dfrac{1}{12} + \dfrac{4}{12} =$

④ $\dfrac{2}{13} + \dfrac{7}{13} =$

⑤ $\dfrac{19}{14} + \dfrac{4}{14} =$

⑥ $\dfrac{10}{20} + \dfrac{19}{20} =$

⑦ $\dfrac{9}{28} + \dfrac{1}{28} =$

⑧ $\dfrac{15}{42} + \dfrac{18}{42} =$

⑨ $\dfrac{94}{88} + \dfrac{44}{88} =$

⑩ $\dfrac{10}{7} - \dfrac{6}{7} =$

⑪ $\dfrac{2}{9} - \dfrac{1}{9} =$

⑫ $\dfrac{10}{10} - \dfrac{4}{10} =$

⑬ $\dfrac{8}{18} - \dfrac{5}{18} =$

⑭ $\dfrac{5}{18} - \dfrac{3}{18} =$

⑮ $\dfrac{19}{23} - \dfrac{2}{23} =$

⑯ $\dfrac{45}{33} - \dfrac{15}{33} =$

⑰ $\dfrac{84}{50} - \dfrac{80}{50} =$

⑱ $\dfrac{72}{61} - \dfrac{70}{61} =$

4일 ❶ 진분수와 가분수의 덧셈과 뺄셈

🎵 계산을 하세요.

① $\frac{2}{5} + \frac{5}{5} =$

② $\frac{2}{7} + \frac{10}{7} =$

③ $\frac{9}{12} + \frac{10}{12} =$

④ $\frac{22}{15} + \frac{6}{15} =$

⑤ $\frac{10}{14} + \frac{13}{14} =$

⑥ $\frac{24}{20} + \frac{18}{20} =$

⑦ $\frac{30}{43} + \frac{20}{43} =$

⑧ $\frac{23}{38} + \frac{16}{38} =$

⑨ $\frac{3}{72} + \frac{54}{72} =$

⑩ $\frac{4}{4} - \frac{3}{4} =$

⑪ $\frac{8}{9} - \frac{5}{9} =$

⑫ $\frac{18}{11} - \frac{13}{11} =$

⑬ $\frac{3}{16} - \frac{1}{16} =$

⑭ $\frac{26}{15} - \frac{19}{15} =$

⑮ $\frac{3}{23} - \frac{2}{23} =$

⑯ $\frac{93}{55} - \frac{4}{55} =$

⑰ $\frac{103}{54} - \frac{44}{54} =$

⑱ $\frac{84}{71} - \frac{24}{71} =$

4일 ❷

진분수와 가분수의 덧셈과 뺄셈

계산을 하세요.

① $\dfrac{10}{7}+\dfrac{11}{7}=$

② $\dfrac{1}{3}+\dfrac{3}{3}=$

③ $\dfrac{15}{11}+\dfrac{5}{11}=$

④ $\dfrac{8}{13}+\dfrac{13}{13}=$

⑤ $\dfrac{14}{16}+\dfrac{4}{16}=$

⑥ $\dfrac{10}{20}+\dfrac{19}{20}=$

⑦ $\dfrac{16}{31}+\dfrac{2}{31}=$

⑧ $\dfrac{5}{34}+\dfrac{34}{34}=$

⑨ $\dfrac{33}{90}+\dfrac{44}{90}=$

⑩ $\dfrac{5}{3}-\dfrac{4}{3}=$

⑪ $\dfrac{8}{4}-\dfrac{4}{4}=$

⑫ $\dfrac{7}{10}-\dfrac{1}{10}=$

⑬ $\dfrac{2}{16}-\dfrac{1}{16}=$

⑭ $\dfrac{3}{13}-\dfrac{1}{13}=$

⑮ $\dfrac{24}{20}-\dfrac{14}{20}=$

⑯ $\dfrac{27}{42}-\dfrac{11}{42}=$

⑰ $\dfrac{100}{56}-\dfrac{37}{56}=$

⑱ $\dfrac{108}{94}-\dfrac{2}{94}=$

진분수와 가분수의 덧셈과 뺄셈

🤔 계산을 하세요.

① $\dfrac{1}{8} + \dfrac{2}{8} =$

② $\dfrac{10}{9} + \dfrac{13}{9} =$

③ $\dfrac{6}{11} + \dfrac{7}{11} =$

④ $\dfrac{12}{19} + \dfrac{5}{19} =$

⑤ $\dfrac{5}{17} + \dfrac{5}{17} =$

⑥ $\dfrac{14}{24} + \dfrac{32}{24} =$

⑦ $\dfrac{87}{49} + \dfrac{46}{49} =$

⑧ $\dfrac{36}{54} + \dfrac{18}{54} =$

⑨ $\dfrac{71}{92} + \dfrac{76}{92} =$

⑩ $\dfrac{5}{3} - \dfrac{1}{3} =$

⑪ $\dfrac{6}{5} - \dfrac{1}{5} =$

⑫ $\dfrac{2}{11} - \dfrac{1}{11} =$

⑬ $\dfrac{15}{13} - \dfrac{3}{13} =$

⑭ $\dfrac{21}{17} - \dfrac{11}{17} =$

⑮ $\dfrac{16}{22} - \dfrac{3}{22} =$

⑯ $\dfrac{25}{52} - \dfrac{22}{52} =$

⑰ $\dfrac{39}{41} - \dfrac{36}{41} =$

⑱ $\dfrac{129}{72} - \dfrac{27}{72} =$

5일 ❷ 진분수와 가분수의 덧셈과 뺄셈

💡 계산을 하세요.

① $\frac{3}{6} + \frac{9}{6} =$

② $\frac{5}{9} + \frac{17}{9} =$

③ $\frac{19}{11} + \frac{3}{11} =$

④ $\frac{18}{13} + \frac{13}{13} =$

⑤ $\frac{18}{16} + \frac{13}{16} =$

⑥ $\frac{7}{22} + \frac{24}{22} =$

⑦ $\frac{1}{31} + \frac{19}{31} =$

⑧ $\frac{45}{52} + \frac{36}{52} =$

⑨ $\frac{60}{63} + \frac{11}{63} =$

⑩ $\frac{5}{5} - \frac{2}{5} =$

⑪ $\frac{4}{4} - \frac{2}{4} =$

⑫ $\frac{10}{11} - \frac{6}{11} =$

⑬ $\frac{24}{19} - \frac{16}{19} =$

⑭ $\frac{20}{16} - \frac{8}{16} =$

⑮ $\frac{45}{25} - \frac{21}{25} =$

⑯ $\frac{98}{51} - \frac{73}{51} =$

⑰ $\frac{64}{59} - \frac{22}{59} =$

⑱ $\frac{48}{85} - \frac{6}{85} =$

• **4**주차 •

분모가 같은 대분수의 덧셈

대분수의 덧셈을 잘하기 위해서는 진분수끼리 더했을 때 가분수가 되는지를 빨리 어림할 줄 알아야 합니다. 진분수끼리의 덧셈 결과를 어림해 보고 자연수끼리, 진분수끼리 계산하는 방법을 중심으로 공부합니다.

🔍 그림을 보고 □에 알맞은 수를 써넣으세요.

①

$$1\frac{2}{6} + 2\frac{3}{6} = (\boxed{} + \boxed{}) + (\frac{\boxed{}}{6} + \frac{\boxed{}}{6}) = \boxed{} + \frac{\boxed{}}{6} = \boxed{}\frac{\boxed{}}{6}$$

②

$$3\frac{4}{8} + 1\frac{1}{8} = (\boxed{} + \boxed{}) + (\frac{\boxed{}}{8} + \frac{\boxed{}}{8}) = \boxed{} + \frac{\boxed{}}{8} = \boxed{}\frac{\boxed{}}{8}$$

③ $8\frac{1}{9} + 3\frac{3}{9} = (\boxed{} + \boxed{}) + (\frac{\boxed{}}{9} + \frac{\boxed{}}{9}) = \boxed{} + \frac{\boxed{}}{9} = \boxed{}\frac{\boxed{}}{9}$

④ $4\frac{3}{10} + 2\frac{5}{10} = (\boxed{} + \boxed{}) + (\frac{\boxed{}}{10} + \frac{\boxed{}}{10}) = \boxed{} + \frac{\boxed{}}{10} = \boxed{}\frac{\boxed{}}{10}$

⑤ $9\frac{3}{12} + 6\frac{2}{12} = (\boxed{} + \boxed{}) + (\frac{\boxed{}}{12} + \frac{\boxed{}}{12}) = \boxed{} + \frac{\boxed{}}{12} = \boxed{}\frac{\boxed{}}{12}$

🎵 그림을 보고 □에 알맞은 수를 써넣으세요.

①

$$3\frac{3}{6} - 1\frac{2}{6} = (\boxed{} - \boxed{}) + (\frac{\boxed{}}{6} - \frac{\boxed{}}{6}) = \boxed{} + \frac{\boxed{}}{6} = \boxed{}\frac{\boxed{}}{6}$$

②

$$5\frac{3}{4} - 3\frac{1}{4} = (\boxed{} - \boxed{}) + (\frac{\boxed{}}{4} - \frac{\boxed{}}{4}) = \boxed{} + \frac{\boxed{}}{4} = \boxed{}\frac{\boxed{}}{4}$$

③ $9\frac{7}{8} - 6\frac{4}{8} = (\boxed{} - \boxed{}) + (\frac{\boxed{}}{8} - \frac{\boxed{}}{8}) = \boxed{} + \frac{\boxed{}}{8} = \boxed{}\frac{\boxed{}}{8}$

④ $8\frac{8}{10} - 4\frac{5}{10} = (\boxed{} - \boxed{}) + (\frac{\boxed{}}{10} - \frac{\boxed{}}{10}) = \boxed{} + \frac{\boxed{}}{10} = \boxed{}\frac{\boxed{}}{10}$

⑤ $7\frac{8}{12} - 6\frac{3}{12} = (\boxed{} - \boxed{}) + (\frac{\boxed{}}{12} - \frac{\boxed{}}{12}) = \boxed{} + \frac{\boxed{}}{12} = \boxed{}\frac{\boxed{}}{12}$

계산을 하세요.

① $3\dfrac{2}{7} + 2\dfrac{3}{7} =$

② $6\dfrac{8}{9} - 4\dfrac{1}{9} =$

③ $2\dfrac{3}{6} + 5\dfrac{2}{6} =$

④ $7\dfrac{9}{11} - 3\dfrac{2}{11} =$

⑤ $1\dfrac{8}{12} + 8\dfrac{3}{12} =$

⑥ $10\dfrac{10}{12} - 2\dfrac{9}{12} =$

⑦ $5\dfrac{6}{13} + 3\dfrac{4}{13} =$

⑧ $11\dfrac{17}{20} - 4\dfrac{11}{20} =$

⑨ $9\dfrac{5}{20} + 5\dfrac{13}{20} =$

⑩ $5\dfrac{7}{19} - 2\dfrac{2}{19} =$

⑪ $9\dfrac{11}{21} + 8\dfrac{9}{21} =$

⑫ $12\dfrac{19}{25} - 8\dfrac{8}{25} =$

⑬ $10\dfrac{18}{32} + 2\dfrac{12}{32} =$

⑭ $9\dfrac{20}{46} - 4\dfrac{13}{46} =$

□에 알맞은 수를 써넣으세요.

0   1   2   0   1   2

① $\dfrac{5}{8} + \dfrac{7}{8} = \dfrac{\square}{\square} = \square\dfrac{\square}{\square}$

② $\dfrac{6}{10} + \dfrac{8}{10} = \dfrac{\square}{\square} = \square\dfrac{\square}{\square}$

③ $\dfrac{6}{7} + \dfrac{3}{7} = \dfrac{\square}{\square} = \square\dfrac{\square}{\square}$

④ $\dfrac{5}{9} + \dfrac{6}{9} = \dfrac{\square}{\square} = \square\dfrac{\square}{\square}$

⑤ $\dfrac{4}{7} + \dfrac{5}{7} = \dfrac{\square}{\square} = \square\dfrac{\square}{\square}$

⑥ $\dfrac{4}{6} + \dfrac{5}{6} = \dfrac{\square}{\square} = \square\dfrac{\square}{\square}$

⑦ $\dfrac{7}{13} + \dfrac{8}{13} = \dfrac{\square}{\square} = \square\dfrac{\square}{\square}$

⑧ $\dfrac{15}{18} + \dfrac{15}{18} = \dfrac{\square}{\square} = \square\dfrac{\square}{\square}$

⑨ $\dfrac{19}{22} + \dfrac{20}{22} = \dfrac{\square}{\square} = \square\dfrac{\square}{\square}$

⑩ $\dfrac{16}{20} + \dfrac{18}{20} = \dfrac{\square}{\square} = \square\dfrac{\square}{\square}$

⑪ $\dfrac{21}{35} + \dfrac{23}{35} = \dfrac{\square}{\square} = \square\dfrac{\square}{\square}$

⑫ $\dfrac{16}{31} + \dfrac{19}{31} = \dfrac{\square}{\square} = \square\dfrac{\square}{\square}$

분수 덧셈표를 완성하세요. 단, 가분수는 자연수나 대분수로 고쳐서 나타내세요.

+	$\frac{5}{10}$	$\frac{9}{10}$
$\frac{6}{10}$	$\frac{11}{10} = 1\frac{1}{10}$	$\frac{15}{10} = 1\frac{5}{10}$
$\frac{3}{10}$	$\frac{8}{10}$	$\frac{12}{10} = 1\frac{2}{10}$

①

+	$\frac{4}{8}$	$\frac{6}{8}$
$\frac{7}{8}$		
$\frac{5}{8}$		

②

+	$\frac{6}{7}$	$\frac{3}{7}$
$\frac{4}{7}$		
$\frac{5}{7}$		

③

+	$\frac{5}{13}$	$\frac{11}{13}$
$\frac{12}{13}$		
$\frac{9}{13}$		

④

+	$\frac{11}{17}$	$\frac{16}{17}$
$\frac{5}{17}$		
$\frac{13}{17}$		

⑤

+	$\frac{18}{24}$	$\frac{20}{24}$
$\frac{17}{24}$		
$\frac{23}{24}$		

두 진분수의 합이 진분수인 것은 ○표, 자연수로 나타낼 수 있는 것은 △표, 대분수로 나타낼 수 있는 것은 ☆표 하세요.

$\dfrac{1}{4} + \dfrac{2}{4}$ ○	$\dfrac{5}{7} + \dfrac{2}{7}$ △	$\dfrac{3}{5} + \dfrac{3}{5}$ ☆	$\dfrac{1}{3} + \dfrac{2}{3}$
$\dfrac{5}{6} + \dfrac{3}{6}$	$\dfrac{6}{10} + \dfrac{3}{10}$	$\dfrac{5}{14} + \dfrac{7}{14}$	$\dfrac{1}{9} + \dfrac{6}{9}$
$\dfrac{5}{20} + \dfrac{7}{20}$	$\dfrac{10}{17} + \dfrac{4}{17}$	$\dfrac{15}{22} + \dfrac{7}{22}$	$\dfrac{4}{8} + \dfrac{7}{8}$
$\dfrac{11}{14} + \dfrac{8}{14}$	$\dfrac{1}{6} + \dfrac{5}{6}$	$\dfrac{9}{25} + \dfrac{16}{25}$	$\dfrac{20}{33} + \dfrac{7}{33}$
$\dfrac{25}{40} + \dfrac{17}{40}$	$\dfrac{6}{30} + \dfrac{22}{30}$	$\dfrac{6}{11} + \dfrac{6}{11}$	$\dfrac{12}{20} + \dfrac{13}{20}$
$\dfrac{8}{13} + \dfrac{6}{13}$	$\dfrac{9}{18} + \dfrac{8}{18}$	$\dfrac{14}{23} + \dfrac{11}{23}$	$\dfrac{24}{50} + \dfrac{26}{50}$

자연수끼리 분수끼리

동영상 해설

그림을 보고 □에 알맞은 수를 써넣으세요.

①

$$2\frac{4}{6} + 1\frac{5}{6} = (\boxed{} + \boxed{}) + (\frac{\boxed{}}{6} + \frac{\boxed{}}{6}) = \boxed{} + \boxed{}\frac{\boxed{}}{6} = \boxed{}\frac{\boxed{}}{6}$$

②

$$2\frac{3}{4} + 2\frac{3}{4} = (\boxed{} + \boxed{}) + (\frac{\boxed{}}{4} + \frac{\boxed{}}{4}) = \boxed{} + \boxed{}\frac{\boxed{}}{4} = \boxed{}\frac{\boxed{}}{4}$$

③ $4\frac{4}{8} + 1\frac{7}{8} = (\boxed{} + \boxed{}) + (\frac{\boxed{}}{8} + \frac{\boxed{}}{8}) = \boxed{} + \boxed{}\frac{\boxed{}}{8} = \boxed{}\frac{\boxed{}}{8}$

④ $5\frac{8}{10} + 2\frac{9}{10} = (\boxed{} + \boxed{}) + (\frac{\boxed{}}{10} + \frac{\boxed{}}{10}) = \boxed{} + \boxed{}\frac{\boxed{}}{10} = \boxed{}\frac{\boxed{}}{10}$

⑤ $6\frac{6}{12} + 3\frac{8}{12} = (\boxed{} + \boxed{}) + (\frac{\boxed{}}{12} + \frac{\boxed{}}{12}) = \boxed{} + \boxed{}\frac{\boxed{}}{12} = \boxed{}\frac{\boxed{}}{12}$

□에 알맞은 수를 써넣으세요.

$$3\frac{7}{9} + 6\frac{5}{9} = \boxed{9} + \frac{\overset{3}{\cancel{12}}}{9} = \boxed{10}\frac{\boxed{3}}{9}$$

① $9\frac{8}{10} + 6\frac{8}{10} = \boxed{} + \frac{\boxed{}}{10} = \boxed{}\frac{\boxed{}}{10}$

② $8\frac{6}{7} + 9\frac{3}{7} = \boxed{} + \frac{\boxed{}}{7} = \boxed{}\frac{\boxed{}}{7}$

③ $5\frac{8}{12} + 9\frac{11}{12} = \boxed{} + \frac{\boxed{}}{12} = \boxed{}\frac{\boxed{}}{12}$

④ $4\frac{6}{8} + 4\frac{5}{8} = \boxed{} + \frac{\boxed{}}{8} = \boxed{}\frac{\boxed{}}{8}$

⑤ $7\frac{12}{15} + 7\frac{9}{15} = \boxed{} + \frac{\boxed{}}{15} = \boxed{}\frac{\boxed{}}{15}$

⑥ $5\frac{2}{5} + 7\frac{4}{5} = \boxed{} + \frac{\boxed{}}{5} = \boxed{}\frac{\boxed{}}{5}$

⑦ $4\frac{20}{27} + 6\frac{10}{27} = \boxed{} + \frac{\boxed{}}{27} = \boxed{}\frac{\boxed{}}{27}$

⑧ $6\frac{7}{9} + 5\frac{4}{9} = \boxed{} + \frac{\boxed{}}{9} = \boxed{}\frac{\boxed{}}{9}$

⑨ $3\frac{14}{23} + 2\frac{15}{23} = \boxed{} + \frac{\boxed{}}{23} = \boxed{}\frac{\boxed{}}{23}$

⑩ $7\frac{5}{6} + 5\frac{2}{6} = \boxed{} + \frac{\boxed{}}{6} = \boxed{}\frac{\boxed{}}{6}$

⑪ $9\frac{26}{31} + 3\frac{17}{31} = \boxed{} + \frac{\boxed{}}{31} = \boxed{}\frac{\boxed{}}{31}$

⑫ $2\frac{5}{9} + 3\frac{5}{9} = \boxed{} + \frac{\boxed{}}{9} = \boxed{}\frac{\boxed{}}{9}$

⑬ $4\frac{20}{40} + 8\frac{28}{40} = \boxed{} + \frac{\boxed{}}{40} = \boxed{}\frac{\boxed{}}{40}$

가로, 세로로 놓인 두 수의 합을 ◯ 안에 써넣으세요.

①

| $2\frac{5}{7}$ | $3\frac{3}{7}$ |
| $7\frac{6}{7}$ | $11\frac{4}{7}$ |

②

| $2\frac{3}{10}$ | $6\frac{9}{10}$ |
| $7\frac{5}{10}$ | $9\frac{4}{10}$ |

③

| $2\frac{9}{14}$ | $7\frac{3}{14}$ |
| $3\frac{8}{14}$ | $12\frac{11}{14}$ |

④

| $8\frac{3}{9}$ | $10\frac{7}{9}$ |
| $8\frac{7}{9}$ | $3\frac{4}{9}$ |

⑤

| $2\frac{15}{20}$ | $3\frac{4}{20}$ |
| $7\frac{16}{20}$ | $2\frac{7}{20}$ |

⑥

| $2\frac{13}{15}$ | $4\frac{3}{15}$ |
| $3\frac{9}{15}$ | $1\frac{11}{15}$ |

연필을 사용하지 않고 어림하여 계산 결과로 알맞은 수에 ◯표 하세요.

$$4\frac{6}{11} + 7\frac{4}{11}$$

$11\frac{10}{11}$　　$12\frac{10}{11}$　　$12\frac{2}{11}$

$$2\frac{8}{9} + 6\frac{4}{9}$$

$8\frac{3}{9}$　　$9\frac{3}{9}$　　$9\frac{12}{9}$

$$1\frac{3}{7} + 3\frac{5}{7}$$

$4\frac{1}{7}$　　$4\frac{8}{7}$　　$5\frac{1}{7}$

$$6\frac{2}{5} + 9\frac{7}{5}$$

$15\frac{4}{5}$　　$16\frac{9}{5}$　　$16\frac{4}{5}$

$$7\frac{1}{3} + 2\frac{2}{3}$$

9　　10　　$9\frac{3}{3}$

$$10\frac{9}{14} + 4\frac{2}{14}$$

$15\frac{3}{14}$　　$15\frac{11}{14}$　　$14\frac{11}{14}$

$$1\frac{6}{8} + 7\frac{7}{8}$$

$9\frac{5}{8}$　　$10\frac{5}{8}$　　$8\frac{3}{8}$

$$6\frac{11}{19} + 2\frac{4}{19}$$

$9\frac{5}{19}$　　$8\frac{15}{19}$　　$9\frac{15}{19}$

□에 알맞은 수를 써넣으세요.

① $3\dfrac{6}{8} + 5\dfrac{4}{8} = (3 + 5 + 1) + \dfrac{6+4-8}{8} = \boxed{}\dfrac{\boxed{}}{8}$

② $5\dfrac{4}{7} + 8\dfrac{6}{7} = (5 + 8 + 1) + \dfrac{4+6-7}{7} = \boxed{}\dfrac{\boxed{}}{7}$

③ $4\dfrac{5}{9} + 1\dfrac{7}{9} = (4 + 1 + 1) + \dfrac{5+7-9}{9} = \boxed{}\dfrac{\boxed{}}{9}$

④ $7\dfrac{6}{13} + 7\dfrac{9}{13} = (7 + 7 + 1) + \dfrac{6+9-13}{13} = \boxed{}\dfrac{\boxed{}}{13}$

⑤ $9\dfrac{4}{18} + 11\dfrac{17}{18} = (9 + 11 + 1) + \dfrac{4+17-18}{18} = \boxed{}\dfrac{\boxed{}}{18}$

⑥ $5\dfrac{11}{24} + 4\dfrac{20}{24} = (5 + 4 + 1) + \dfrac{11+20-24}{24} = \boxed{}\dfrac{\boxed{}}{24}$

⑦ $9\dfrac{36}{48} + 6\dfrac{41}{48} = (9 + 6 + 1) + \dfrac{36+41-48}{48} = \boxed{}\dfrac{\boxed{}}{48}$

계산을 하세요.

① $5\dfrac{3}{8} + 8\dfrac{6}{8} =$

② $8\dfrac{3}{4} + 7\dfrac{2}{4} =$

③ $8\dfrac{5}{7} + 8\dfrac{4}{7} =$

④ $2\dfrac{8}{9} + 5\dfrac{8}{9} =$

⑤ $2\dfrac{3}{7} + 7\dfrac{5}{7} =$

⑥ $9\dfrac{9}{10} + 13\dfrac{7}{10} =$

⑦ $6\dfrac{11}{12} + 3\dfrac{6}{12} =$

⑧ $3\dfrac{9}{14} + 2\dfrac{8}{14} =$

⑨ $7\dfrac{13}{16} + 1\dfrac{8}{16} =$

⑩ $4\dfrac{6}{19} + 2\dfrac{17}{19} =$

⑪ $3\dfrac{11}{22} + 16\dfrac{18}{22} =$

⑫ $3\dfrac{23}{28} + 2\dfrac{6}{28} =$

⑬ $5\dfrac{35}{38} + 6\dfrac{9}{38} =$

⑭ $2\dfrac{29}{42} + 1\dfrac{33}{42} =$

🐌 계산을 하세요.

① $7\dfrac{2}{6} + 1\dfrac{3}{6} =$

② $4\dfrac{1}{8} + 2\dfrac{4}{8} =$

③ $4\dfrac{3}{7} + 1\dfrac{1}{7} =$

④ $5\dfrac{4}{9} + 6\dfrac{6}{9} =$

⑤ $3\dfrac{2}{5} + 7\dfrac{4}{5} =$

⑥ $6\dfrac{2}{3} + 7\dfrac{2}{3} =$

⑦ $3\dfrac{8}{10} + 7\dfrac{9}{10} =$

⑧ $2\dfrac{5}{12} + 9\dfrac{11}{12} =$

⑨ $3\dfrac{13}{15} + 3\dfrac{13}{15} =$

⑩ $6\dfrac{12}{16} + 3\dfrac{9}{16} =$

⑪ $8\dfrac{8}{20} + 1\dfrac{11}{20} =$

⑫ $6\dfrac{13}{24} + 2\dfrac{23}{24} =$

⑬ $3\dfrac{26}{33} + 8\dfrac{21}{33} =$

⑭ $3\dfrac{16}{38} + 5\dfrac{29}{38} =$

계산을 하세요.

① $4\dfrac{2}{8} + 5\dfrac{3}{8} =$

② $1\dfrac{2}{5} + 2\dfrac{2}{5} =$

③ $6\dfrac{3}{9} + 7\dfrac{1}{9} =$

④ $3\dfrac{2}{8} + 4\dfrac{3}{8} =$

⑤ $4\dfrac{4}{6} + 11\dfrac{3}{6} =$

⑥ $2\dfrac{8}{9} + 1\dfrac{8}{9} =$

⑦ $7\dfrac{2}{7} + 13\dfrac{3}{7} =$

⑧ $6\dfrac{11}{16} + 1\dfrac{9}{16} =$

⑨ $3\dfrac{10}{20} + 5\dfrac{14}{20} =$

⑩ $6\dfrac{11}{13} + 10\dfrac{12}{13} =$

⑪ $1\dfrac{9}{12} + 1\dfrac{11}{12} =$

⑫ $6\dfrac{7}{21} + 9\dfrac{18}{21} =$

⑬ $3\dfrac{26}{33} + 8\dfrac{19}{33} =$

⑭ $16\dfrac{32}{36} + 11\dfrac{29}{36} =$

크기가 가장 큰 분수와 가장 작은 분수의 합을 구하세요.

①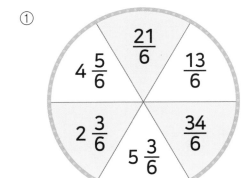

②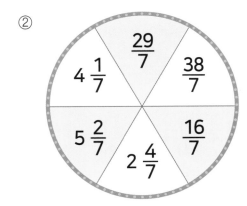

③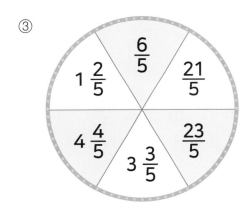

④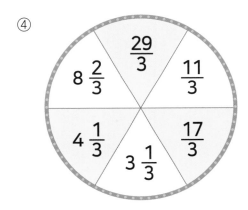

⑤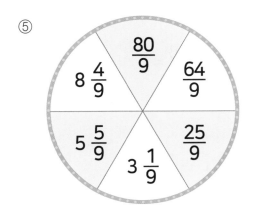

⑥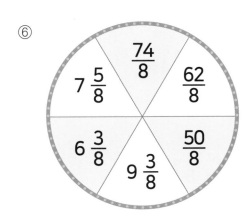

· **5**주차 ·

분모가 같은 대분수의 뺄셈

자연수의 뺄셈을 할 때 받아내림이 있는 것과 같이 대분수의 뺄셈에서 분수끼리 뺄 수 없으면 자연수 1을 분수로 바꾸어서 계산합니다. 자연수를 분수로 바꾸면서 자연수의 뺄셈이나 분수의 뺄셈에 실수가 없도록 연습하는 것이 중요합니다.

□에 알맞은 수를 써넣으세요.

①

$$3 - 1\frac{5}{6} = 2\frac{\square}{6} - 1\frac{5}{6} = (\square - \square) + (\frac{\square}{6} - \frac{\square}{6}) = \square\frac{\square}{6}$$

②

$$4 - 1\frac{7}{8} = 3\frac{\square}{8} - 1\frac{7}{8} = (\square - \square) + (\frac{\square}{8} - \frac{\square}{8}) = \square\frac{\square}{8}$$

③ $9 - 7\frac{2}{4} = 8\frac{\square}{4} - 7\frac{2}{4} = (\square - \square) + (\frac{\square}{4} - \frac{\square}{4}) = \square\frac{\square}{4}$

④ $10 - 3\frac{4}{6} = 9\frac{\square}{6} - 3\frac{4}{6} = (\square - \square) + (\frac{\square}{6} - \frac{\square}{6}) = \square\frac{\square}{6}$

⑤ $7 - 2\frac{1}{8} = 6\frac{\square}{8} - 2\frac{1}{8} = (\square - \square) + (\frac{\square}{8} - \frac{\square}{8}) = \square\frac{\square}{8}$

□에 알맞은 수를 써넣으세요.

$$5 - 2\frac{7}{9} = \boxed{4}\frac{\boxed{9}}{9} - 2\frac{7}{9}$$

$$= \boxed{2}\frac{\boxed{2}}{9}$$

① $$11 - 6\frac{5}{10} = \boxed{}\frac{\boxed{}}{10} - 6\frac{5}{10}$$

$$= \boxed{}\frac{\boxed{}}{10}$$

② $$10 - 3\frac{4}{6} = \boxed{}\frac{\boxed{}}{6} - 3\frac{4}{6}$$

$$= \boxed{}\frac{\boxed{}}{6}$$

③ $$9 - 6\frac{6}{8} = \boxed{}\frac{\boxed{}}{8} - 6\frac{6}{8}$$

$$= \boxed{}\frac{\boxed{}}{8}$$

④ $$6 - 4\frac{9}{11} = \boxed{}\frac{\boxed{}}{11} - 4\frac{9}{11}$$

$$= \boxed{}\frac{\boxed{}}{11}$$

⑤ $$3 - 1\frac{7}{14} = \boxed{}\frac{\boxed{}}{14} - 1\frac{7}{14}$$

$$= \boxed{}\frac{\boxed{}}{14}$$

⑥ $$10 - 7\frac{15}{16} = \boxed{}\frac{\boxed{}}{16} - 7\frac{15}{16}$$

$$= \boxed{}\frac{\boxed{}}{16}$$

⑦ $$8 - 2\frac{6}{19} = \boxed{}\frac{\boxed{}}{19} - 2\frac{6}{19}$$

$$= \boxed{}\frac{\boxed{}}{19}$$

⑧ $$8 - 4\frac{18}{24} = \boxed{}\frac{\boxed{}}{24} - 4\frac{18}{24}$$

$$= \boxed{}\frac{\boxed{}}{24}$$

⑨ $$14 - 5\frac{19}{27} = \boxed{}\frac{\boxed{}}{27} - 5\frac{19}{27}$$

$$= \boxed{}\frac{\boxed{}}{27}$$

계산을 하세요.

① $12 - 3\dfrac{3}{7} =$

② $7 - 4\dfrac{7}{8} =$

③ $9 - 5\dfrac{1}{9} =$

④ $11 - 6\dfrac{3}{5} =$

⑤ $8 - 4\dfrac{6}{10} =$

⑥ $10 - 8\dfrac{9}{17} =$

⑦ $6 - 2\dfrac{6}{11} =$

⑧ $15 - 7\dfrac{13}{14} =$

⑨ $5 - 1\dfrac{3}{15} =$

⑩ $10 - 1\dfrac{9}{18} =$

⑪ $9 - 3\dfrac{19}{24} =$

⑫ $13 - 5\dfrac{17}{20} =$

⑬ $14 - 8\dfrac{6}{31} =$

⑭ $12 - 3\dfrac{29}{34} =$

동영상 해설

🐶 □에 알맞은 수를 써넣으세요.

①

$$3\frac{1}{4} - 1\frac{3}{4} = 2\frac{\square}{4} - 1\frac{3}{4} = (\square - \square) + (\frac{\square}{4} - \frac{\square}{4}) = \square\frac{\square}{4}$$

②

$$5\frac{3}{6} - 2\frac{4}{6} = 4\frac{\square}{6} - 2\frac{4}{6} = (\square - \square) + (\frac{\square}{6} - \frac{\square}{6}) = \square\frac{\square}{6}$$

③ $8\frac{2}{8} - 4\frac{5}{8} = 7\frac{\square}{8} - 4\frac{5}{8} = (\square - \square) + (\frac{\square}{8} - \frac{\square}{8}) = \square\frac{\square}{8}$

④ $4\frac{7}{10} - 2\frac{8}{10} = 3\frac{\square}{10} - 2\frac{8}{10} = (\square - \square) + (\frac{\square}{10} - \frac{\square}{10}) = \square\frac{\square}{10}$

⑤ $5\frac{6}{12} - 3\frac{10}{12} = 4\frac{\square}{12} - 3\frac{10}{12} = (\square - \square) + (\frac{\square}{12} - \frac{\square}{12}) = \square\frac{\square}{12}$

🧑 □에 알맞은 수를 써넣으세요.

$$5\frac{4}{9} - 3\frac{8}{9} = \boxed{4}^{5-1}\frac{\boxed{13}^{4+9}}{9} - 3\frac{8}{9}$$

$$= \boxed{1}\frac{\boxed{5}}{9}$$

① $$5\frac{3}{9} - 2\frac{7}{9} = \boxed{}\frac{\boxed{}}{9} - 2\frac{7}{9}$$

$$= \boxed{}\frac{\boxed{}}{9}$$

② $$6\frac{2}{10} - 1\frac{4}{10} = \boxed{}\frac{\boxed{}}{10} - 1\frac{4}{10}$$

$$= \boxed{}\frac{\boxed{}}{10}$$

③ $$8\frac{3}{8} - 4\frac{5}{8} = \boxed{}\frac{\boxed{}}{8} - 4\frac{5}{8}$$

$$= \boxed{}\frac{\boxed{}}{8}$$

④ $$9\frac{5}{7} - 6\frac{6}{7} = \boxed{}\frac{\boxed{}}{7} - 6\frac{6}{7}$$

$$= \boxed{}\frac{\boxed{}}{7}$$

⑤ $$12\frac{4}{6} - 7\frac{5}{6} = \boxed{}\frac{\boxed{}}{6} - 7\frac{5}{6}$$

$$= \boxed{}\frac{\boxed{}}{6}$$

⑥ $$4\frac{3}{12} - 2\frac{10}{12} = \boxed{}\frac{\boxed{}}{12} - 2\frac{10}{12}$$

$$= \boxed{}\frac{\boxed{}}{12}$$

⑦ $$6\frac{5}{18} - 2\frac{7}{18} = \boxed{}\frac{\boxed{}}{18} - 2\frac{7}{18}$$

$$= \boxed{}\frac{\boxed{}}{18}$$

⑧ $$11\frac{10}{15} - 8\frac{14}{15} = \boxed{}\frac{\boxed{}}{15} - 8\frac{14}{15}$$

$$= \boxed{}\frac{\boxed{}}{15}$$

⑨ $$10\frac{8}{13} - 6\frac{11}{13} = \boxed{}\frac{\boxed{}}{13} - 6\frac{11}{13}$$

$$= \boxed{}\frac{\boxed{}}{13}$$

두 분수의 차를 구해 분수 뺄셈표를 완성하세요.

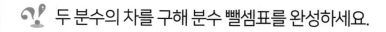

①

−	$4\frac{3}{9}$	$7\frac{8}{9}$
$9\frac{6}{9}$		
$1\frac{2}{9}$		

②

−	$6\frac{3}{8}$	$5\frac{5}{8}$
$12\frac{1}{8}$		
$6\frac{7}{8}$		

③

−	$9\frac{3}{14}$	$8\frac{11}{14}$
$12\frac{13}{14}$		
$6\frac{2}{14}$		

④

−	$8\frac{7}{12}$	$2\frac{6}{12}$
$10\frac{5}{12}$		
$4\frac{9}{12}$		

⑤

−	$3\frac{14}{20}$	$6\frac{9}{20}$
$4\frac{3}{20}$		
$1\frac{7}{20}$		

⑥

−	$2\frac{23}{24}$	$1\frac{5}{24}$
$7\frac{17}{24}$		
$4\frac{19}{24}$		

공부한날 월 일

동영상 해설

🖋 연필을 사용하지 않고 어림하여 계산 결과로 알맞은 수에 ◯표 하세요.

$6\frac{4}{5} - 2\frac{2}{5}$

$4\frac{2}{5}$　　　$3\frac{2}{5}$　　　$3\frac{4}{5}$

$8\frac{8}{9} - 5\frac{6}{9}$

$3\frac{2}{9}$　　　$2\frac{2}{9}$　　　$2\frac{7}{9}$

$7\frac{9}{11} - 4\frac{10}{11}$

$3\frac{17}{11}$　　　$3\frac{10}{11}$　　　$2\frac{10}{11}$

$9\frac{10}{14} - 7\frac{5}{14}$

$2\frac{15}{14}$　　　$3\frac{5}{14}$　　　$2\frac{5}{14}$

$9\frac{15}{24} - 4\frac{16}{24}$

$5\frac{23}{24}$　　　$4\frac{9}{24}$　　　$4\frac{23}{24}$

$10\frac{24}{27} - 4\frac{18}{27}$

$6\frac{6}{27}$　　　$15\frac{6}{27}$　　　$5\frac{12}{27}$

$11\frac{8}{38} - 5\frac{6}{38}$

$6\frac{2}{38}$　　　$5\frac{2}{38}$　　　$5\frac{4}{38}$

$7\frac{16}{45} - 5\frac{20}{45}$

$1\frac{4}{45}$　　　$1\frac{41}{45}$　　　$2\frac{41}{45}$

□에 알맞은 수를 써넣으세요.

① $4\dfrac{2}{6} - 2\dfrac{5}{6} = (4 - 2 - 1) + \dfrac{6 + 2 - 5}{6} = \boxed{}\dfrac{\boxed{}}{6}$

② $8\dfrac{1}{9} - 3\dfrac{8}{9} = (8 - 3 - 1) + \dfrac{9 + 1 - 8}{9} = \boxed{}\dfrac{\boxed{}}{9}$

③ $9\dfrac{2}{8} - 2\dfrac{7}{8} = (9 - 2 - 1) + \dfrac{8 + 2 - 7}{8} = \boxed{}\dfrac{\boxed{}}{8}$

④ $6\dfrac{13}{21} - 1\dfrac{14}{21} = (6 - 1 - 1) + \dfrac{21 + 13 - 14}{21} = \boxed{}\dfrac{\boxed{}}{21}$

⑤ $15\dfrac{16}{30} - 7\dfrac{18}{30} = (15 - 7 - 1) + \dfrac{30 + 16 - 18}{30} = \boxed{}\dfrac{\boxed{}}{30}$

⑥ $11\dfrac{9}{41} - 4\dfrac{31}{41} = (11 - 4 - 1) + \dfrac{41 + 9 - 31}{41} = \boxed{}\dfrac{\boxed{}}{41}$

⑦ $13\dfrac{22}{55} - 5\dfrac{25}{55} = (13 - 5 - 1) + \dfrac{55 + 22 - 25}{55} = \boxed{}\dfrac{\boxed{}}{55}$

☝️ ☐에 알맞은 수를 써넣으세요.

① $12\frac{3}{8} - 7\frac{5}{8} = \boxed{}^{12-7-1}\dfrac{\boxed{}^{8+3-5}}{8}$

② $8\frac{4}{6} - 6\frac{5}{6} = \boxed{}\dfrac{\boxed{}}{6}$

③ $6\frac{1}{4} - 2\frac{3}{4} = \boxed{}\dfrac{\boxed{}}{4}$

④ $10\frac{2}{7} - 4\frac{4}{7} = \boxed{}\dfrac{\boxed{}}{7}$

⑤ $7\frac{6}{13} - 2\frac{9}{13} = \boxed{}\dfrac{\boxed{}}{13}$

⑥ $9\frac{4}{18} - 3\frac{11}{18} = \boxed{}\dfrac{\boxed{}}{18}$

⑦ $8\frac{10}{19} - 5\frac{17}{19} = \boxed{}\dfrac{\boxed{}}{19}$

⑧ $11\frac{3}{25} - 2\frac{10}{25} = \boxed{}\dfrac{\boxed{}}{25}$

⑨ $10\frac{6}{21} - 7\frac{8}{21} = \boxed{}\dfrac{\boxed{}}{21}$

⑩ $6\frac{12}{32} - 3\frac{18}{32} = \boxed{}\dfrac{\boxed{}}{32}$

⑪ $9\frac{4}{20} - 2\frac{19}{20} = \boxed{}\dfrac{\boxed{}}{20}$

⑫ $6\frac{5}{26} - 4\frac{25}{26} = \boxed{}\dfrac{\boxed{}}{26}$

⑬ $11\frac{11}{41} - 8\frac{30}{41} = \boxed{}\dfrac{\boxed{}}{41}$

⑭ $4\frac{23}{38} - 2\frac{33}{38} = \boxed{}\dfrac{\boxed{}}{38}$

🧑 계산을 하세요.

① $7\dfrac{3}{4} - 3\dfrac{1}{4} =$

② $8\dfrac{8}{9} - 1\dfrac{1}{9} =$

③ $4\dfrac{6}{8} - 2\dfrac{1}{8} =$

④ $8\dfrac{2}{3} - 6\dfrac{1}{3} =$

⑤ $11\dfrac{3}{9} - 3\dfrac{4}{9} =$

⑥ $8\dfrac{1}{7} - 3\dfrac{5}{7} =$

⑦ $7\dfrac{3}{6} - 2\dfrac{5}{6} =$

⑧ $13\dfrac{3}{5} - 8\dfrac{2}{5} =$

⑨ $16\dfrac{4}{11} - 11\dfrac{7}{11} =$

⑩ $8\dfrac{3}{18} - 1\dfrac{13}{18} =$

⑪ $11\dfrac{15}{25} - 3\dfrac{22}{25} =$

⑫ $10\dfrac{1}{30} - 6\dfrac{14}{30} =$

⑬ $21\dfrac{26}{33} - 15\dfrac{21}{33} =$

⑭ $9\dfrac{35}{50} - 5\dfrac{41}{50} =$

🐸 계산을 하세요.

① $8\dfrac{6}{7} - 4\dfrac{2}{7} =$

② $6\dfrac{8}{9} - 1\dfrac{3}{9} =$

③ $7\dfrac{2}{5} - 5\dfrac{4}{5} =$

④ $15\dfrac{7}{8} - 11\dfrac{1}{8} =$

⑤ $20\dfrac{3}{6} - 8\dfrac{5}{6} =$

⑥ $9\dfrac{2}{9} - 1\dfrac{8}{9} =$

⑦ $3\dfrac{1}{4} - 1\dfrac{2}{4} =$

⑧ $12\dfrac{3}{7} - 3\dfrac{4}{7} =$

⑨ $9\dfrac{3}{9} - 2\dfrac{7}{9} =$

⑩ $8\dfrac{3}{10} - 4\dfrac{9}{10} =$

⑪ $23\dfrac{5}{12} - 12\dfrac{11}{12} =$

⑫ $16\dfrac{18}{19} - 2\dfrac{7}{19} =$

⑬ $32\dfrac{6}{27} - 18\dfrac{21}{27} =$

⑭ $24\dfrac{16}{32} - 6\dfrac{17}{32} =$

차가 팻말 안의 수가 되는 두 분수를 모두 찾아 이으세요.

①

$1\frac{2}{6}$

$5\frac{4}{6}$ $3\frac{5}{6}$ $9\frac{3}{6}$ $11\frac{1}{6}$ $4\frac{1}{6}$

$2\frac{3}{6}$ $9\frac{5}{6}$ $4\frac{2}{6}$ $5\frac{5}{6}$ $1\frac{4}{6}$

②

4

$3\frac{1}{7}$ $6\frac{2}{7}$ $7\frac{3}{7}$ $13\frac{5}{7}$ $5\frac{3}{7}$

$6\frac{5}{7}$ $9\frac{3}{7}$ $6\frac{6}{7}$ $10\frac{2}{7}$ $7\frac{1}{7}$

③

$3\frac{4}{9}$

$3\frac{2}{9}$ $4\frac{4}{9}$ $6\frac{7}{9}$ $2\frac{1}{9}$ $10\frac{3}{9}$

$11\frac{4}{9}$ $10\frac{2}{9}$ $1\frac{6}{9}$ $6\frac{8}{9}$ $5\frac{7}{9}$

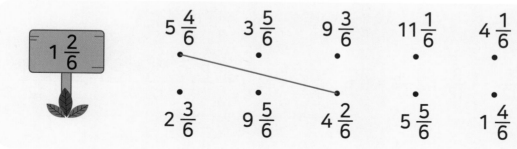

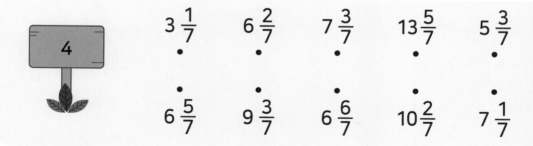

□에 알맞은 수를 써넣으세요.

> 자연수와 진분수를 나누어 계산할 때 중간 과정에서 뺄 수 없는 경우, 순서를 바꾸어 계산할 수 있습니다.
>
> $8\frac{6}{12} - 1\frac{8}{12} + 2\frac{5}{12} = (\boxed{8} - \boxed{1} + \boxed{2}) + \frac{\boxed{6} - \boxed{8} + \boxed{5}}{12} = \boxed{9}\frac{\boxed{3}}{12}$ (6+5-8)

① $7\frac{3}{9} - 3\frac{7}{9} + 6\frac{5}{9} = (\square - \square + \square) + \frac{\square - \square + \square}{9} = \square\frac{\square}{9}$

② $12\frac{1}{5} + 3\frac{7}{5} - 9\frac{4}{5} = (\square + \square - \square) + \frac{\square + \square - \square}{5} = \square\frac{\square}{5}$

③ $5\frac{6}{8} - 5\frac{2}{8} + 7\frac{3}{8} = (\square - \square + \square) + \frac{\square - \square + \square}{8} = \square\frac{\square}{8}$

④ $6\frac{2}{16} - 3\frac{3}{16} + 8\frac{12}{16} = (\square - \square + \square) + \frac{\square - \square + \square}{16} = \square\frac{\square}{16}$

⑤ $11\frac{2}{20} + 3\frac{14}{20} - 6\frac{11}{20} = (\square + \square - \square) + \frac{\square + \square - \square}{20} = \square\frac{\square}{20}$

⑥ $6\frac{16}{24} - 2\frac{21}{24} + 8\frac{14}{24} = (\square - \square + \square) + \frac{\square - \square + \square}{24} = \square\frac{\square}{24}$

Tip 앞에서부터 차례로 계산할 수도 있습니다.

🐢 □에 알맞은 수를 써넣으세요.

자연수와 진분수를 나누어 계산할 때 진분수의 분자가 0보다 작으면 자연수에서 1을 빼고, 분자에 분모를 더해 줍니다.

$$7\frac{4}{6} - 1\frac{2}{6} - 4\frac{5}{6} = (\boxed{7} - \boxed{1} - \boxed{4} - 1) + \frac{6 + \boxed{4} - \boxed{2} - \boxed{5}}{6}$$

$$= \boxed{1}\frac{\boxed{3}}{6}$$

① $$9\frac{3}{7} - 3\frac{5}{7} - 2\frac{3}{7} = (\square - \square - \square - 1) + \frac{7 + \square - \square - \square}{7}$$

$$= \square\frac{\square}{7}$$

② $$1\frac{2}{9} + 7\frac{3}{9} - 2\frac{8}{9} = (\square + \square - \square - 1) + \frac{9 + \square + \square - \square}{9}$$

$$= \square\frac{\square}{9}$$

③ $$10\frac{6}{14} - 3\frac{1}{14} - 1\frac{11}{14} = (\square - \square - \square - 1) + \frac{14 + \square - \square - \square}{14}$$

$$= \square\frac{\square}{14}$$

④ $$7\frac{5}{21} - 3\frac{15}{21} + 8\frac{9}{21} = (\square - \square + \square - 1) + \frac{21 + \square - \square + \square}{21}$$

$$= \square\frac{\square}{21}$$

🐛 계산을 하세요.

① $6\dfrac{4}{5} - 3\dfrac{1}{5} + 7\dfrac{3}{5} =$

② $5\dfrac{2}{4} - 1\dfrac{2}{4} + 6\dfrac{1}{4} =$

③ $8\dfrac{2}{3} - 5\dfrac{1}{3} + 2\dfrac{1}{3} =$

④ $5\dfrac{2}{6} - 2\dfrac{5}{6} + 9\dfrac{4}{6} =$

⑤ $6\dfrac{3}{8} + 1\dfrac{7}{8} - 2\dfrac{2}{8} =$

⑥ $13\dfrac{8}{9} - 6\dfrac{4}{9} - 5\dfrac{6}{9} =$

⑦ $4\dfrac{3}{7} - 2\dfrac{4}{7} + 6\dfrac{6}{7} =$

⑧ $4\dfrac{3}{10} + 4\dfrac{8}{10} - 2\dfrac{7}{10} =$

⑨ $9\dfrac{3}{11} - 2\dfrac{1}{11} - 5\dfrac{8}{11} =$

⑩ $8\dfrac{12}{15} - 4\dfrac{13}{15} + 10\dfrac{6}{15} =$

⑪ $11\dfrac{15}{16} - 1\dfrac{8}{16} - 3\dfrac{4}{16} =$

⑫ $3\dfrac{2}{18} + 9\dfrac{13}{18} - 7\dfrac{6}{18} =$

⑬ $3\dfrac{23}{28} + 5\dfrac{16}{28} - 2\dfrac{17}{28} =$

⑭ $4\dfrac{20}{32} - 2\dfrac{24}{32} + 3\dfrac{19}{32} =$

· **6**주차 ·

도전! 계산왕

대분수의 덧셈과 뺄셈

🐌 계산을 하세요.

① $\dfrac{3}{7} + 2\dfrac{4}{7} =$

② $5\dfrac{4}{8} + 10\dfrac{7}{8} =$

③ $6\dfrac{5}{10} + 5\dfrac{9}{10} =$

④ $2\dfrac{18}{19} + 5\dfrac{10}{19} =$

⑤ $2\dfrac{15}{18} + 6\dfrac{6}{18} =$

⑥ $4\dfrac{15}{22} + 11\dfrac{1}{22} =$

⑦ $10\dfrac{55}{59} + 4\dfrac{21}{59} =$

⑧ $2\dfrac{5}{37} + 14\dfrac{36}{37} =$

⑨ $5\dfrac{93}{94} + 6\dfrac{84}{94} =$

⑩ $4\dfrac{4}{6} - 1\dfrac{5}{6} =$

⑪ $7\dfrac{7}{9} - 6\dfrac{6}{9} =$

⑫ $2\dfrac{4}{10} - 1\dfrac{8}{10} =$

⑬ $5\dfrac{10}{13} - 4\dfrac{12}{13} =$

⑭ $9\dfrac{11}{17} - 3\dfrac{9}{17} =$

⑮ $8\dfrac{2}{20} - 4\dfrac{12}{20} =$

⑯ $20\dfrac{8}{31} - 14\dfrac{30}{31} =$

⑰ $15\dfrac{42}{54} - 14\dfrac{9}{54} =$

⑱ $12\dfrac{66}{88} - 6\dfrac{79}{88} =$

대분수의 덧셈과 뺄셈

💡 계산을 하세요.

① $4\dfrac{1}{8} + 4\dfrac{3}{8} =$

② $2\dfrac{3}{6} + 3\dfrac{3}{6} =$

③ $1\dfrac{2}{11} + 4\dfrac{6}{11} =$

④ $5\dfrac{12}{19} + 1\dfrac{4}{19} =$

⑤ $4\dfrac{1}{14} + \dfrac{7}{14} =$

⑥ $5\dfrac{15}{21} + 3\dfrac{19}{21} =$

⑦ $5\dfrac{17}{38} + 4\dfrac{18}{38} =$

⑧ $4\dfrac{36}{49} + 5\dfrac{1}{49} =$

⑨ $12\dfrac{11}{71} + 4\dfrac{20}{71} =$

⑩ $5\dfrac{2}{9} - \dfrac{4}{9} =$

⑪ $7\dfrac{4}{7} - \dfrac{2}{7} =$

⑫ $3\dfrac{1}{10} - 2\dfrac{4}{10} =$

⑬ $11\dfrac{4}{19} - 10\dfrac{6}{19} =$

⑭ $2\dfrac{13}{18} - 1\dfrac{16}{18} =$

⑮ $15\dfrac{22}{24} - 8\dfrac{23}{24} =$

⑯ $18\dfrac{50}{58} - \dfrac{52}{58} =$

⑰ $2\dfrac{12}{34} - \dfrac{14}{34} =$

⑱ $17\dfrac{31}{61} - 10\dfrac{31}{61} =$

2일 **①**

대분수의 덧셈과 뺄셈

계산을 하세요.

① $1\dfrac{4}{6} + 3\dfrac{3}{6} =$

② $4\dfrac{4}{5} + 4\dfrac{2}{5} =$

③ $5\dfrac{2}{10} + 6\dfrac{2}{10} =$

④ $12\dfrac{7}{17} + 3\dfrac{7}{17} =$

⑤ $1\dfrac{1}{14} + 1\dfrac{5}{14} =$

⑥ $3\dfrac{19}{25} + 3\dfrac{20}{25} =$

⑦ $3\dfrac{39}{51} + 6\dfrac{29}{51} =$

⑧ $4\dfrac{28}{49} + 5\dfrac{13}{49} =$

⑨ $11\dfrac{63}{99} + 6\dfrac{90}{99} =$

⑩ $8\dfrac{4}{8} - 2\dfrac{5}{8} =$

⑪ $10\dfrac{2}{4} - \dfrac{1}{4} =$

⑫ $12\dfrac{2}{10} - 11\dfrac{6}{10} =$

⑬ $9\dfrac{12}{14} - 6\dfrac{13}{14} =$

⑭ $10\dfrac{3}{17} - 4\dfrac{13}{17} =$

⑮ $13\dfrac{2}{20} - 7\dfrac{15}{20} =$

⑯ $9\dfrac{10}{30} - 6\dfrac{16}{30} =$

⑰ $5\dfrac{38}{48} - 2\dfrac{33}{48} =$

⑱ $2\dfrac{34}{69} - \dfrac{38}{69} =$

2일 ❷

대분수의 덧셈과 뺄셈

공부한 날	월 일
점수	/ 18

💡 계산을 하세요.

① $1\frac{3}{4} + 6\frac{3}{4} =$

② $2\frac{1}{5} + 10\frac{3}{5} =$

③ $1\frac{7}{10} + 4\frac{1}{10} =$

④ $8\frac{13}{15} + 1\frac{10}{15} =$

⑤ $4\frac{8}{14} + 4\frac{1}{14} =$

⑥ $3\frac{18}{23} + 8\frac{22}{23} =$

⑦ $14\frac{4}{50} + 2\frac{34}{50} =$

⑧ $3\frac{29}{43} + 13\frac{28}{43} =$

⑨ $6\frac{3}{92} + 2\frac{55}{92} =$

⑩ $3\frac{3}{8} - 2\frac{7}{8} =$

⑪ $6\frac{6}{9} - 3\frac{3}{9} =$

⑫ $7\frac{2}{11} - 1\frac{6}{11} =$

⑬ $12\frac{13}{15} - \frac{14}{15} =$

⑭ $5\frac{17}{19} - 1\frac{13}{19} =$

⑮ $10\frac{7}{25} - 10\frac{2}{25} =$

⑯ $18\frac{4}{32} - 11\frac{9}{32} =$

⑰ $7\frac{9}{35} - \frac{26}{35} =$

⑱ $8\frac{49}{79} - 7\frac{39}{79} =$

3일 ❶

대분수의 덧셈과 뺄셈

💡 계산을 하세요.

① $3\frac{1}{7} + 5\frac{1}{7} =$

② $4\frac{6}{8} + 9\frac{7}{8} =$

③ $5\frac{1}{12} + 6\frac{4}{12} =$

④ $11\frac{4}{19} + 5\frac{11}{19} =$

⑤ $4\frac{4}{13} + 10\frac{4}{13} =$

⑥ $3\frac{4}{22} + \frac{5}{22} =$

⑦ $2\frac{23}{35} + 3\frac{21}{35} =$

⑧ $1\frac{33}{47} + 2\frac{19}{47} =$

⑨ $12\frac{50}{71} + 3\frac{67}{71} =$

⑩ $5\frac{3}{5} - 5\frac{1}{5} =$

⑪ $5\frac{7}{9} - 3\frac{6}{9} =$

⑫ $6\frac{7}{11} - 6\frac{4}{11} =$

⑬ $12\frac{12}{16} - 11\frac{13}{16} =$

⑭ $8\frac{6}{17} - 2\frac{15}{17} =$

⑮ $12\frac{16}{23} - 3\frac{21}{23} =$

⑯ $5\frac{27}{60} - 2\frac{40}{60} =$

⑰ $17\frac{2}{35} - 7\frac{24}{35} =$

⑱ $6\frac{55}{94} - 3\frac{23}{94} =$

대분수의 덧셈과 뺄셈

계산을 하세요.

① $1\frac{6}{9} + 4\frac{4}{9} =$

② $4\frac{6}{7} + 7\frac{1}{7} =$

③ $2\frac{10}{11} + 3\frac{10}{11} =$

④ $2\frac{3}{17} + 2\frac{4}{17} =$

⑤ $2\frac{3}{19} + 9\frac{12}{19} =$

⑥ $1\frac{10}{25} + 5\frac{10}{25} =$

⑦ $13\frac{20}{27} + 2\frac{26}{27} =$

⑧ $4\frac{19}{58} + 7\frac{11}{58} =$

⑨ $5\frac{60}{79} + 6\frac{49}{79} =$

⑩ $5\frac{5}{8} - 1\frac{6}{8} =$

⑪ $3\frac{4}{7} - 3\frac{3}{7} =$

⑫ $4\frac{7}{10} - 4\frac{5}{10} =$

⑬ $9\frac{5}{15} - 3\frac{9}{15} =$

⑭ $7\frac{16}{19} - 4\frac{16}{19} =$

⑮ $2\frac{12}{23} - 1\frac{18}{23} =$

⑯ $12\frac{7}{53} - 3\frac{27}{53} =$

⑰ $14\frac{15}{57} - \frac{11}{57} =$

⑱ $19\frac{71}{98} - 3\frac{43}{98} =$

4일 ❶

대분수의 덧셈과 뺄셈

계산을 하세요.

① $9\frac{2}{3} + 6\frac{1}{3} =$

② $5\frac{2}{8} + 9\frac{3}{8} =$

③ $10\frac{6}{10} + 2\frac{9}{10} =$

④ $5\frac{8}{15} + 4\frac{10}{15} =$

⑤ $1\frac{11}{17} + 15\frac{5}{17} =$

⑥ $4\frac{14}{23} + 13\frac{4}{23} =$

⑦ $14\frac{21}{48} + 3\frac{40}{48} =$

⑧ $1\frac{24}{26} + 15\frac{7}{26} =$

⑨ $13\frac{31}{94} + 1\frac{57}{94} =$

⑩ $3\frac{2}{9} - 3\frac{1}{9} =$

⑪ $8\frac{4}{10} - 1\frac{1}{10} =$

⑫ $11\frac{8}{10} - 1\frac{9}{10} =$

⑬ $3\frac{2}{15} - 1\frac{12}{15} =$

⑭ $6\frac{5}{14} - 1\frac{2}{14} =$

⑮ $6\frac{2}{20} - 3\frac{18}{20} =$

⑯ $13\frac{15}{28} - 2\frac{21}{28} =$

⑰ $17\frac{10}{33} - 12\frac{10}{33} =$

⑱ $10\frac{42}{71} - 2\frac{46}{71} =$

4일 ❷

대분수의 덧셈과 뺄셈

❓ 계산을 하세요.

① $2\dfrac{8}{9} + 1\dfrac{1}{9} =$

② $4\dfrac{8}{10} + 6\dfrac{3}{10} =$

③ $\dfrac{10}{11} + 5\dfrac{1}{11} =$

④ $12\dfrac{9}{13} + 3\dfrac{1}{13} =$

⑤ $5\dfrac{11}{15} + 6\dfrac{3}{15} =$

⑥ $2\dfrac{15}{24} + 4\dfrac{8}{24} =$

⑦ $3\dfrac{11}{40} + 2\dfrac{19}{40} =$

⑧ $4\dfrac{19}{43} + 13\dfrac{18}{43} =$

⑨ $12\dfrac{66}{67} + 3\dfrac{26}{67} =$

⑩ $9\dfrac{2}{4} - \dfrac{3}{4} =$

⑪ $8\dfrac{2}{7} - 1\dfrac{3}{7} =$

⑫ $11\dfrac{8}{11} - 3\dfrac{9}{11} =$

⑬ $5\dfrac{11}{18} - 5\dfrac{4}{18} =$

⑭ $4\dfrac{6}{13} - 4\dfrac{5}{13} =$

⑮ $14\dfrac{4}{23} - 4\dfrac{22}{23} =$

⑯ $19\dfrac{23}{27} - 10\dfrac{24}{27} =$

⑰ $15\dfrac{3}{26} - 13\dfrac{12}{26} =$

⑱ $19\dfrac{55}{61} - 3\dfrac{34}{61} =$

대분수의 덧셈과 뺄셈

💡 계산을 하세요.

① $2\dfrac{6}{7} + 4\dfrac{3}{7} =$

② $2\dfrac{3}{9} + 5\dfrac{6}{9} =$

③ $9\dfrac{4}{10} + 1\dfrac{7}{10} =$

④ $3\dfrac{3}{17} + 1\dfrac{16}{17} =$

⑤ $5\dfrac{9}{16} + 1\dfrac{12}{16} =$

⑥ $6\dfrac{14}{22} + 8\dfrac{12}{22} =$

⑦ $12\dfrac{36}{52} + 5\dfrac{25}{52} =$

⑧ $2\dfrac{22}{54} + 4\dfrac{31}{54} =$

⑨ $10\dfrac{46}{80} + 4\dfrac{33}{80} =$

⑩ $3\dfrac{2}{4} - 1\dfrac{3}{4} =$

⑪ $10\dfrac{3}{8} - 10\dfrac{2}{8} =$

⑫ $5\dfrac{8}{10} - \dfrac{9}{10} =$

⑬ $8\dfrac{2}{17} - 3\dfrac{15}{17} =$

⑭ $8\dfrac{13}{16} - 7\dfrac{14}{16} =$

⑮ $10\dfrac{3}{23} - 4\dfrac{9}{23} =$

⑯ $18\dfrac{17}{30} - 2\dfrac{22}{30} =$

⑰ $12\dfrac{42}{44} - 9\dfrac{14}{44} =$

⑱ $4\dfrac{29}{66} - 3\dfrac{13}{66} =$

대분수의 덧셈과 뺄셈

공부한 날	월 일
점수	/ 18

💡 계산을 하세요.

① $7\frac{5}{7} + 2\frac{2}{7} =$

② $1\frac{2}{3} + 10\frac{2}{3} =$

③ $8\frac{3}{10} + 6\frac{2}{10} =$

④ $7\frac{13}{18} + 2\frac{6}{18} =$

⑤ $6\frac{8}{16} + 1\frac{3}{16} =$

⑥ $3\frac{11}{20} + 15\frac{6}{20} =$

⑦ $6\frac{13}{50} + 6\frac{45}{50} =$

⑧ $1\frac{54}{59} + 8\frac{46}{59} =$

⑨ $\frac{52}{90} + 6\frac{56}{90} =$

⑩ $4\frac{2}{6} - \frac{3}{6} =$

⑪ $7\frac{3}{7} - \frac{2}{7} =$

⑫ $4\frac{3}{12} - 2\frac{6}{12} =$

⑬ $14\frac{6}{14} - 9\frac{12}{14} =$

⑭ $7\frac{12}{16} - 1\frac{7}{16} =$

⑮ $7\frac{6}{20} - 1\frac{13}{20} =$

⑯ $6\frac{46}{58} - 6\frac{29}{58} =$

⑰ $16\frac{21}{30} - 8\frac{10}{30} =$

⑱ $19\frac{14}{76} - 13\frac{72}{76} =$

우리 아이 첫 수학은
유자수 가 답이다

보드마카와
붙임 딱지로
즐겁게

내 아이에게
딱 맞는
엄마표 문제

재미있게
스스로
반복학습

방송에서 화제가 된 바로 그 교재!

생각과 자신감이 커지는 유아 자신감 수학!

실력도 탑! 재미도 탑!
사고력 수학의 으뜸!
TOP 사고력 수학

6~7세

7~8세

초1~2학년

초2~3학년

알쓸신탑 :
알아두면 쓸데있는
신비한
탑사고력 수학!

TOP사고력 3가지 Check !

직접해봐! 직접 체험하면서 할 수 있는 풍부한 활동자료

의도가 뭘까? 더욱 더 친절한 해설 예비활동 / 학부모 가이드

어려워! 어려울 때 친절한 저자 직강 QR 코드로 고고!

초등 | 수학 전문가가 만든 연산 교재

원리셈

천종현 지음

정답

4학년 3

분모가 같은 분수의 덧셈과 뺄셈

천종현수학연구소

총괄 테스트

3권 분수가 같은 분수의 덧셈과 뺄셈

01 나눗셈을 분수로 나타내세요.
① $7 \div 9 = \dfrac{7}{9}$ ② $9 \div 8 = \dfrac{9}{8}$ ③ $11 \div 4 = \dfrac{11}{4}$

02 아래 모양은 위 모양의 조각들을 몇 조각씩 똑같이 나눈 것입니다. □에 알맞은 수를 써넣으세요.
① $\dfrac{5}{8} \rightarrow \dfrac{10}{16}$ ② $\dfrac{2}{4} \rightarrow \dfrac{6}{12}$

03 합이 ◇ 안의 수가 되는 두 수에 ○표 하세요.
$\dfrac{6}{7}$: ④$\dfrac{2}{7}$ $\dfrac{1}{7}$ $\dfrac{3}{7}$

04 △ 안의 수에서 두 수를 빼면 ▽ 안의 수가 됩니다. 두 수에 ○표 하세요.
$\dfrac{8}{9} \rightarrow \dfrac{3}{9}$ ①$\dfrac{5}{9}$
$\dfrac{5}{7} \rightarrow \dfrac{4}{7}$ ①$\dfrac{3}{7}$

05 계산을 하세요.
① $\dfrac{3}{7} + \dfrac{10}{7} = \dfrac{13}{7}$ ② $\dfrac{8}{5} + \dfrac{11}{5} = \dfrac{19}{5}$
③ $\dfrac{29}{13} - \dfrac{15}{13} = \dfrac{14}{13}$ ④ $\dfrac{33}{19} - \dfrac{31}{19} = \dfrac{2}{19}$

06 □에 알맞은 수를 써넣으세요.
① $5\dfrac{5}{8} + 4\dfrac{7}{8} = 9 + \dfrac{12}{8} = 10\dfrac{4}{8}$
② $2\dfrac{7}{9} + 3\dfrac{4}{9} = 5 + \dfrac{11}{9} = 6\dfrac{2}{9}$

07 □에 알맞은 수를 써넣으세요.
① $7\dfrac{3}{8} - 5\dfrac{6}{8} = 6\dfrac{11}{8} - 5\dfrac{6}{8} = 1\dfrac{5}{8}$
② $9\dfrac{1}{5} - 3\dfrac{4}{5} = 8\dfrac{6}{5} - 3\dfrac{4}{5} = 5\dfrac{2}{5}$

08 계산을 하세요.
① $4\dfrac{4}{7} + 5\dfrac{3}{7} = 10$ ② $5\dfrac{2}{5} - 3\dfrac{4}{5} = 1\dfrac{3}{5}$
③ $9\dfrac{5}{9} + 5\dfrac{7}{9} = 15\dfrac{3}{9}$ ④ $10\dfrac{1}{4} - 3\dfrac{2}{4} = 6\dfrac{3}{4}$

09 계산을 하세요.
① $2\dfrac{2}{3} + 4\dfrac{2}{3} - 3\dfrac{1}{3} = 4$
② $8\dfrac{3}{10} - 4\dfrac{7}{10} + 3\dfrac{9}{10} = 7\dfrac{5}{10}$
③ $1\dfrac{1}{8} + 2\dfrac{3}{8} + 3\dfrac{7}{8} = 7\dfrac{3}{8}$
④ $11\dfrac{2}{7} - 3\dfrac{5}{7} - 4\dfrac{3}{7} = 3$

10 ○에는 두 분수의 합을, □에는 두 분수의 차를 써넣으세요.
$3\dfrac{6}{9}$	$4\dfrac{2}{9}$	$7\dfrac{8}{9}$	$\dfrac{5}{9}$
$11\dfrac{2}{5}$	$6\dfrac{4}{5}$	$18\dfrac{1}{5}$	$4\dfrac{3}{5}$

총괄 테스트

11 나눗셈을 분수로 나타내세요.
① $3 \div 7 = \dfrac{3}{7}$ ② $1 \div 4 = \dfrac{1}{4}$ ③ $3 \div 13 = \dfrac{3}{13}$

12 아래 모양은 위 모양의 조각들을 몇 조각씩 똑같이 나눈 것입니다. □에 알맞은 수를 써넣으세요.
① $\dfrac{4}{6} \rightarrow \dfrac{8}{12}$ ② $\dfrac{3}{4} \rightarrow \dfrac{12}{16}$

13 합이 ◇ 안의 수가 되는 두 수에 ○표 하세요.
$\dfrac{9}{12}$: ③$\dfrac{3}{12}$ $\dfrac{2}{12}$ $\dfrac{4}{12}$ ⑥$\dfrac{6}{12}$
$\dfrac{7}{9}$: $\dfrac{3}{9}$ ④$\dfrac{4}{9}$ $\dfrac{2}{9}$ $\dfrac{6}{9}$

14 △ 안의 수에서 두 수를 빼면 ▽ 안의 수가 됩니다. 두 수에 ○표 하세요.
$\dfrac{6}{7} \rightarrow$ ③$\dfrac{3}{7}$ $\dfrac{4}{7}$ $\dfrac{1}{7}$
$\dfrac{8}{9} \rightarrow \dfrac{1}{9}$ ②$\dfrac{2}{9}$ ③$\dfrac{3}{9}$

15 계산을 하세요.
① $\dfrac{5}{6} + \dfrac{12}{6} = \dfrac{17}{6}$ ② $\dfrac{9}{3} + \dfrac{13}{3} = \dfrac{22}{3}$
③ $\dfrac{13}{15} - \dfrac{11}{15} = \dfrac{2}{15}$ ④ $\dfrac{7}{18} - \dfrac{4}{18} = \dfrac{3}{18}$

16 □에 알맞은 수를 써넣으세요.
① $4\dfrac{5}{6} + 3\dfrac{2}{6} = 7 + \dfrac{7}{6} = 8\dfrac{1}{6}$
② $9\dfrac{2}{3} + 5\dfrac{2}{3} = 14 + \dfrac{4}{3} = 15\dfrac{1}{3}$

17 □에 알맞은 수를 써넣으세요.
① $9\dfrac{2}{7} - 1\dfrac{5}{7} = 8\dfrac{9}{7} - 1\dfrac{5}{7} = 7\dfrac{4}{7}$
② $8\dfrac{1}{12} - 4\dfrac{9}{12} = 7\dfrac{13}{12} - 4\dfrac{9}{12} = 3\dfrac{4}{12}$

18 계산을 하세요.
① $6\dfrac{2}{8} + 4\dfrac{7}{8} = 11\dfrac{1}{8}$ ② $7\dfrac{3}{4} + 4\dfrac{2}{4} = 12\dfrac{1}{4}$
③ $9\dfrac{5}{12} - 6\dfrac{4}{12} = 3\dfrac{1}{12}$ ④ $12\dfrac{3}{9} - 6\dfrac{5}{9} = 5\dfrac{7}{9}$

19 계산을 하세요.
① $4\dfrac{3}{9} + 2\dfrac{4}{9} - 1\dfrac{5}{9} = 5\dfrac{2}{9}$
② $7\dfrac{2}{13} - 2\dfrac{11}{13} + 1\dfrac{12}{13} = 6\dfrac{3}{13}$
③ $1\dfrac{2}{3} + 2\dfrac{1}{3} + 3\dfrac{2}{3} = 7\dfrac{2}{3}$
④ $13\dfrac{7}{18} - 9\dfrac{4}{18} - 1\dfrac{8}{18} = 2\dfrac{5}{8}$

20 ○에는 두 분수의 합을, □에는 두 분수의 차를 써넣으세요.
$5\dfrac{4}{8}$	$7\dfrac{2}{8}$	$13\dfrac{9}{9}$...	$\dfrac{5}{7}$...
$2\dfrac{10}{15}$	$7\dfrac{7}{15}$	$10\dfrac{2}{15}$	$4\dfrac{12}{15}$

1주차 - 분수의 이해

10쪽

① $\dfrac{4}{8}$ ② $\dfrac{1}{4}$ ③ $\dfrac{2}{4}$

④ $\dfrac{4}{10}$ ⑤ $\dfrac{6}{8}$ ⑥ $\dfrac{4}{5}$

⑦ $\dfrac{3}{8}$ ⑧ $\dfrac{2}{4}$ ⑨ $\dfrac{2}{4}$

⑩ $\dfrac{4}{8}$ ⑪ $\dfrac{2}{8}$ ⑫ $\dfrac{2}{8}$

11쪽

① $\dfrac{1}{9}$ ② $\dfrac{1}{8}$

③ $\dfrac{1}{4}$ ④ $\dfrac{1}{6}$ ⑤ $\dfrac{3}{8}$

⑥ $\dfrac{2}{12}$ ⑦ $\dfrac{3}{10}$ ⑧ $\dfrac{3}{9}$

12쪽

① $\dfrac{8}{32}$ ② $\dfrac{8}{32}$ ③ $\dfrac{2}{32}$

또는 $\dfrac{4}{16}, \dfrac{2}{8}, \dfrac{1}{4}$ 또는 $\dfrac{1}{16}$

④ $\dfrac{4}{32}$ ⑤ $\dfrac{4}{32}$ ⑥ $\dfrac{2}{32}$ ⑦ $\dfrac{4}{32}$

또는 $\dfrac{2}{16}, \dfrac{1}{8}$ 또는 $\dfrac{1}{16}$ 또는 $\dfrac{2}{16}, \dfrac{1}{8}$

13쪽

① $\dfrac{5}{9}$ ② $\dfrac{4}{9}$

③ $\dfrac{1}{3}$ ④ $\dfrac{4}{3}$ ⑤ $\dfrac{3}{4}$ ⑥ $\dfrac{6}{4}$

14쪽

① $\dfrac{9}{20}$ ② $\dfrac{12}{20}$ ⑦ $\dfrac{8}{36}$ ⑧ $\dfrac{9}{36}$

③ $\dfrac{5}{10}$ ④ $\dfrac{3}{10}$ ⑨ $\dfrac{12}{24}$ ⑩ $\dfrac{18}{24}$

⑤ $\dfrac{2}{8}$ ⑥ $\dfrac{5}{8}$

15쪽

① $\dfrac{4}{8}$ ② $\dfrac{2}{8}$ ③ $\dfrac{2}{4}$

또는 $\dfrac{2}{4}, \dfrac{1}{2}$ 또는 $\dfrac{1}{4}$ 또는 $\dfrac{1}{2}$

④ $\dfrac{4}{2}$ ⑤ $\dfrac{8}{2}$ ⑥ $\dfrac{4}{4}$

또는 $\dfrac{2}{1}$ 또는 $\dfrac{4}{1}$ 또는 $\dfrac{2}{2}, \dfrac{1}{1}$

16쪽

① $\dfrac{3}{4}$ ② $\dfrac{2}{5}$ ⑤ $\dfrac{3}{3}$ ⑥ $\dfrac{4}{5}$

③ $\dfrac{1}{6}$ ④ $\dfrac{4}{3}$

17쪽

① $\dfrac{7}{2}$ ② $\dfrac{11}{8}$

③ $\dfrac{2}{5}$ ④ $\dfrac{8}{13}$ ⑤ $\dfrac{15}{4}$

⑥ $\dfrac{4}{10}$ ⑦ $\dfrac{1}{7}$ ⑧ $\dfrac{6}{16}$

⑨ $\dfrac{8}{7}$ ⑩ $\dfrac{3}{8}$ ⑪ $\dfrac{11}{3}$

⑫ $\dfrac{5}{7}$ ⑬ $\dfrac{9}{8}$ ⑭ $\dfrac{14}{9}$

⑮ $\dfrac{9}{13}$ ⑯ $\dfrac{1}{8}$ ⑰ $\dfrac{7}{15}$

18쪽

① 6, 7 ② 5, 3

③ 11, 6 ④ 2, 9 ⑤ 13, 11

⑥ 2, 10 ⑦ 1, 7 ⑧ 8, 2

⑨ 11, 13 ⑩ 5, 8 ⑪ 9, 7

⑫ 13, 7 ⑬ 9, 8 ⑭ 5, 6

⑮ 15, 14 ⑯ 4, 9 ⑰ 4, 7

19쪽

① 3 ② 3 ③ 2
  6   9   4

④ 4 ⑤ 3 ⑥ 5
  8   9   10

20쪽

① 8, 4, 2

② 4, 2 ③ 8, 4, 2

④ 8, 4 ⑤ 8, 4, 2

⑥ 12, 4 ⑦ 20, 10, 5

21쪽

① 12, 6, 3

② 12, 4 ③ 12, 6, 4

④ 4, 2 ⑤ 4, 2, 1

⑥ 3, 1 ⑦ 8, 4, 2

22쪽

① 25 ② 7

③ 70 ④ 5 ⑤ 9 ⑥ 4

⑦ 28 ⑧ 10 ⑨ 12 ⑩ 30

⑪ 5 ⑫ 33 ⑬ 4 ⑭ 18

⑮ 24 ⑯ 3 ⑰ 4 ⑱ 12

① $5\frac{2}{3}$ ② $4\frac{3}{4}$

③ $7\frac{3}{6}$ ④ $3\frac{4}{7}$ ⑤ $2\frac{1}{2}$

⑥ $6\frac{2}{3}$ ⑦ $9\frac{2}{8}$ ⑧ $5\frac{1}{2}$

⑨ $10\frac{3}{4}$ ⑩ $11\frac{1}{6}$ ⑪ $2\frac{2}{3}$

⑫ $3\frac{3}{10}$ ⑬ $1\frac{6}{10}$ ⑭ $4\frac{2}{7}$

⑮ $12\frac{1}{2}$ ⑯ $6\frac{2}{4}$ ⑰ $9\frac{5}{6}$

① $\frac{22}{5}$ ② $\frac{38}{7}$

③ $\frac{23}{8}$ ④ $\frac{23}{3}$ ⑤ $\frac{50}{9}$

⑥ $\frac{15}{4}$ ⑦ $\frac{75}{9}$ ⑧ $\frac{43}{10}$

⑨ $\frac{19}{2}$ ⑩ $\frac{37}{7}$ ⑪ $\frac{53}{8}$

⑫ $\frac{16}{7}$ ⑬ $\frac{61}{6}$ ⑭ $\frac{38}{5}$

⑮ $\frac{43}{8}$ ⑯ $\frac{40}{9}$ ⑰ $\frac{41}{6}$

2주차 - 진분수와 가분수의 덧셈과 뺄셈

① $\frac{3}{3}$ ② $\frac{14}{6}$ ③ $\frac{8}{7}$

④ $\frac{8}{4}$ ⑤ $\frac{7}{9}$ ⑥ $\frac{7}{8}$

⑦ $\frac{9}{6}$ ⑧ $\frac{15}{6}$ ⑨ $\frac{19}{9}$

⑩ $\frac{9}{17}$ ⑪ $\frac{26}{22}$ ⑫ $\frac{30}{35}$

⑬ $\frac{43}{41}$ ⑭ $\frac{28}{19}$ ⑮ $\frac{84}{34}$

① $\frac{13}{6}, \frac{13}{6}, \frac{8}{6}$ ② $\frac{12}{9}, \frac{5}{9}, \frac{7}{9}$

③ $\frac{32}{16}, \frac{10}{16}, \frac{22}{16}$ ④ $\frac{29}{23}, \frac{64}{23}, \frac{71}{23}$

◇ $\frac{5}{6}$ — ⬤$\frac{4}{6}$ $\frac{2}{6}$ $\frac{1}{6}$ $\frac{6}{6}$
◇ 1 — $\frac{2}{7}$ ⬤$\frac{3}{7}$ ⬤$\frac{4}{7}$ $\frac{1}{7}$

◇ $\frac{9}{5}$ — $\frac{1}{5}$ ⬤$\frac{6}{5}$ ⬤$\frac{3}{5}$ $\frac{4}{5}$
◇ $\frac{13}{10}$ — ⬤$\frac{7}{10}$ $\frac{2}{10}$ ⬤$\frac{6}{10}$ $\frac{9}{10}$

◇ $\frac{15}{17}$ — ⬤$\frac{9}{17}$ $\frac{12}{17}$ ⬤$\frac{6}{17}$ $\frac{18}{17}$
◇ $\frac{43}{21}$ — ⬤$\frac{16}{21}$ ⬤$\frac{27}{21}$ $\frac{6}{21}$ $\frac{19}{21}$

$\frac{10}{6}$ — ⬤$\frac{4}{6}$ $\frac{2}{6}$ $\frac{7}{6}$ $\frac{5}{6}$ $\frac{1}{6}$ ⬤$\frac{6}{6}$

$\frac{9}{8}$ — $\frac{1}{8}$ $\frac{3}{8}$ ⬤$\frac{4}{8}$ ⬤$\frac{5}{8}$ $\frac{7}{8}$ $\frac{9}{8}$

$\frac{21}{16}$ — $\frac{4}{16}$ ⬤$\frac{15}{16}$ $\frac{8}{16}$ $\frac{5}{16}$ $\frac{12}{16}$ ⬤$\frac{6}{16}$

① $\frac{2}{8}$ ② $\frac{2}{5}$ ③ $\frac{3}{7}$

④ $\frac{2}{3}$ ⑤ $\frac{3}{6}$ ⑥ $\frac{3}{9}$

⑦ $\frac{7}{11}$ ⑧ $\frac{18}{15}$ ⑨ $\frac{20}{19}$

⑩ $\frac{11}{23}$ ⑪ $\frac{6}{35}$ ⑫ $\frac{24}{19}$

⑬ $\frac{26}{36}$ ⑭ $\frac{44}{45}$ ⑮ $\frac{13}{33}$

① $\frac{4}{7}, \frac{3}{7}, \frac{1}{7}$ ② $\frac{2}{8}, \frac{7}{8}, \frac{2}{8}$

③ $\frac{1}{19}, \frac{3}{19}, \frac{9}{19}$ ④ $\frac{10}{9}, \frac{31}{9}, \frac{15}{9}$

$\frac{8}{8}$ ▷ $\frac{3}{8}$ ⬤$\frac{1}{8}$ ⬤$\frac{5}{8}$ ◁ $\frac{2}{8}$ ／ $\frac{5}{6}$ ▷ ⬤$\frac{1}{6}$ $\frac{2}{6}$ ⬤$\frac{3}{6}$ ◁ $\frac{1}{6}$

$\frac{9}{7}$ ▷ ⬤$\frac{2}{7}$ ⬤$\frac{4}{7}$ $\frac{5}{7}$ ◁ $\frac{3}{7}$ ／ $\frac{13}{9}$ ▷ ⬤$\frac{3}{9}$ $\frac{4}{9}$ ⬤$\frac{5}{9}$ ◁ $\frac{5}{9}$

$\frac{7}{8}$ ▷ $\frac{5}{8}$ ⬤$\frac{4}{8}$ ⬤$\frac{1}{8}$ ◁ $\frac{2}{8}$ ／ $\frac{9}{5}$ ▷ ⬤$\frac{4}{5}$ ⬤$\frac{2}{5}$ $\frac{3}{5}$ ◁ $\frac{1}{5}$

$\frac{8}{13}$ ▷ ⬤$\frac{4}{13}$ $\frac{5}{13}$ ⬤$\frac{3}{13}$ ◁ $\frac{1}{13}$ ／ $\frac{13}{16}$ ▷ ⬤$\frac{5}{16}$ $\frac{3}{16}$ ⬤$\frac{4}{16}$ ◁ $\frac{4}{16}$

$\frac{22}{7}$ ▷ $\frac{8}{7}$ ⬤$\frac{7}{7}$ ⬤$\frac{9}{7}$ ◁ $\frac{6}{7}$ ／ $\frac{16}{15}$ ▷ ⬤$\frac{4}{15}$ ⬤$\frac{8}{15}$ $\frac{3}{15}$ ◁ $\frac{4}{15}$

$\frac{27}{36}$ ▷ $\frac{12}{36}$ ⬤$\frac{2}{36}$ ⬤$\frac{14}{36}$ ◁ $\frac{11}{36}$ ／ $\frac{38}{16}$ ▷ ⬤$\frac{14}{16}$ ⬤$\frac{17}{16}$ $\frac{15}{16}$ ◁ $\frac{7}{16}$

① $\frac{1}{3}$ ② $\frac{8}{5}$ │ ⑦ $\frac{10}{23}$ ⑧ $\frac{23}{14}$

③ $\frac{2}{7}$ ④ $\frac{6}{6}$ │ ⑨ $\frac{22}{35}$ ⑩ $\frac{14}{52}$

⑤ $\frac{15}{11}$ ⑥ $\frac{13}{15}$

① $\frac{9}{7}$ ② $\frac{6}{5}$ │ ⑦ $\frac{15}{16}$ ⑧ $\frac{44}{23}$

③ $\frac{6}{5}$ ④ $\frac{3}{6}$ │ ⑨ $\frac{38}{41}$ ⑩ $\frac{49}{24}$

⑤ $\frac{9}{9}$ ⑥ $\frac{6}{4}$

34쪽

$\frac{4}{6}$ $\frac{9}{6}$ $\frac{2}{6}$ $\frac{5}{6}$ $\frac{7}{6}$ $\frac{2}{6}$

$\frac{5}{5}$ $\frac{2}{5}$ $\frac{1}{5}$ $\frac{7}{5}$ $\frac{3}{5}$ $\frac{4}{5}$

$\frac{4}{11}$ $\frac{2}{11}$ $\frac{3}{11}$ $\frac{6}{11}$ $\frac{5}{11}$ $\frac{1}{11}$

$\frac{3}{12}$ $\frac{13}{12}$ $\frac{6}{12}$ $\frac{10}{12}$ $\frac{7}{12}$ $\frac{3}{12}$

$\frac{17}{15}$ $\frac{16}{15}$ $\frac{7}{15}$ $\frac{1}{15}$ $\frac{9}{15}$ $\frac{10}{15}$

$\frac{9}{8}$ $\frac{4}{8}$ $\frac{7}{8}$ $\frac{13}{8}$ $\frac{11}{8}$ $\frac{2}{8}$

35쪽

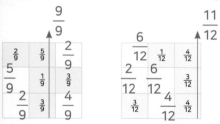

$\frac{9}{9}$

$\frac{2}{9}$	$\frac{5}{9}$	$\frac{2}{9}$
$\frac{5}{9}$	$\frac{1}{9}$	$\frac{3}{9}$
$\frac{2}{9}$	$\frac{3}{9}$	$\frac{4}{9}$

$\frac{11}{12}$

$\frac{6}{12}$	$\frac{1}{12}$	$\frac{4}{12}$
$\frac{2}{12}$	$\frac{6}{12}$	$\frac{3}{12}$
$\frac{3}{12}$	$\frac{4}{12}$	$\frac{4}{12}$

$\frac{12}{24}$

$\frac{7}{24}$	$\frac{3}{24}$	$\frac{2}{24}$
$\frac{3}{24}$	$\frac{5}{24}$	$\frac{4}{24}$
$\frac{2}{24}$	$\frac{4}{24}$	$\frac{6}{24}$

$\frac{2}{10}$ $\frac{6}{10}$

$\frac{2}{10}$		$\frac{1}{10}$
$\frac{5}{10}$	$\frac{4}{10}$	$\frac{3}{10}$
$\frac{3}{10}$	$\frac{4}{10}$	$\frac{3}{10}$

$\frac{10}{10}$

$\frac{11}{2}$

$\frac{5}{13}$	$\frac{5}{13}$	$\frac{3}{13}$
$\frac{7}{13}$	$\frac{2}{13}$	$\frac{4}{13}$
$\frac{1}{13}$	$\frac{6}{13}$	$\frac{6}{13}$

$\frac{13}{13}$

$\frac{4}{2}$	$\frac{6}{2}$	$\frac{1}{2}$
$\frac{2}{2}$	0	$\frac{9}{2}$
$\frac{5}{2}$	$\frac{5}{2}$	$\frac{1}{2}$

36쪽

① +,-   ② -,+

③ +,-   ④ -,-

⑤ -,+   ⑥ -,-

⑦ -,+   ⑧ +,-

---

⑨ +,-   ⑩ +,-

⑪ -,+   ⑫ +,+

⑬ -,+   ⑭ -,+

37쪽

① $\frac{2}{4}$ ② $\frac{6}{5}$

③ $\frac{6}{7}$ ④ $\frac{2}{9}$

⑤ $\frac{8}{10}$ ⑥ $\frac{8}{11}$

⑦ $\frac{3}{6}$ ⑧ $\frac{1}{8}$

⑨ $\frac{2}{12}$ ⑩ $\frac{5}{10}$

⑪ $\frac{8}{14}$ ⑫ $\frac{19}{21}$

⑬ $\frac{32}{36}$ ⑭ $\frac{22}{48}$

38쪽

① $\frac{6}{16} + \frac{3}{16} = \frac{9}{16}$, $\frac{9}{16}$

② $\frac{5}{16} + \frac{6}{16} = \frac{11}{16}$, $\frac{11}{16}$

③ $\frac{5}{16} - \frac{3}{16} = \frac{2}{16}$, $\frac{2}{16}$

39쪽

① $\frac{6}{27} + \frac{9}{27} = \frac{15}{27}$, $\frac{15}{27}$

② $\frac{3}{8} + \frac{2}{8} = \frac{5}{8}$, $\frac{5}{8}$

③ $\frac{9}{29} + \frac{6}{29} = \frac{15}{29}$, $\frac{15}{29}$

④ $\frac{3}{17} + \frac{8}{17} = \frac{11}{17}$, $\frac{11}{17}$

40쪽

① $\frac{9}{12} - \frac{5}{12} + \frac{3}{12} = \frac{7}{12}$, $\frac{7}{12}$

② $\frac{11}{3} + \frac{4}{3} - \frac{7}{3} = \frac{8}{3}$, $\frac{8}{3}$

③ $\frac{14}{14} - \frac{6}{14} - \frac{5}{14} = \frac{3}{14}$, $\frac{3}{14}$

또는 $1 - \frac{6}{14} - \frac{5}{14} = \frac{3}{14}$

④ $\frac{11}{2} + \frac{5}{2} - \frac{3}{2} = \frac{13}{2}$, $\frac{13}{2}$

3주차 - 도전! 계산왕

42쪽

① $\frac{26}{9}$ ② $\frac{21}{6}$ ③ $\frac{36}{12}$

④ $\frac{17}{15}$ ⑤ $\frac{16}{17}$ ⑥ $\frac{39}{25}$

⑦ $\frac{33}{48}$ ⑧ $\frac{93}{49}$ ⑨ $\frac{53}{99}$

⑩ $\frac{7}{7}$ ⑪ $\frac{8}{9}$ ⑫ $\frac{9}{10}$

⑬ $\frac{13}{16}$ ⑭ $\frac{1}{12}$ ⑮ $\frac{6}{25}$

⑯ $\frac{24}{39}$ ⑰ $\frac{36}{59}$ ⑱ $\frac{4}{72}$

43쪽

① $\frac{15}{5}$ ② $\frac{8}{8}$ ③ $\frac{12}{11}$

④ $\frac{19}{19}$ ⑤ $\frac{23}{17}$ ⑥ $\frac{45}{20}$

⑦ $\frac{56}{50}$ ⑧ $\frac{43}{47}$ ⑨ $\frac{63}{71}$

⑩ $\frac{2}{7}$ ⑪ $\frac{6}{6}$ ⑫ $\frac{17}{12}$

⑬ $\frac{13}{16}$ ⑭ $\frac{18}{18}$ ⑮ $\frac{9}{20}$

⑯ $\frac{67}{36}$ ⑰ $\frac{1}{46}$ ⑱ $\frac{41}{71}$

① $\dfrac{10}{6}$ ② $\dfrac{15}{7}$ ③ $\dfrac{17}{10}$

④ $\dfrac{32}{13}$ ⑤ $\dfrac{23}{18}$ ⑥ $\dfrac{12}{23}$

⑦ $\dfrac{129}{54}$ ⑧ $\dfrac{35}{46}$ ⑨ $\dfrac{101}{68}$

⑩ $\dfrac{1}{3}$ ⑪ $\dfrac{1}{5}$ ⑫ $\dfrac{3}{12}$

⑬ $\dfrac{2}{18}$ ⑭ $\dfrac{3}{19}$ ⑮ $\dfrac{11}{25}$

⑯ $\dfrac{7}{60}$ ⑰ $\dfrac{18}{27}$ ⑱ $\dfrac{9}{68}$

① $\dfrac{13}{6}$ ② $\dfrac{10}{8}$ ③ $\dfrac{22}{12}$

④ $\dfrac{39}{16}$ ⑤ $\dfrac{34}{14}$ ⑥ $\dfrac{43}{24}$

⑦ $\dfrac{61}{55}$ ⑧ $\dfrac{43}{45}$ ⑨ $\dfrac{72}{74}$

⑩ $\dfrac{5}{6}$ ⑪ $\dfrac{10}{8}$ ⑫ $\dfrac{8}{12}$

⑬ $\dfrac{5}{19}$ ⑭ $\dfrac{11}{14}$ ⑮ $\dfrac{6}{23}$

⑯ $\dfrac{5}{38}$ ⑰ $\dfrac{8}{50}$ ⑱ $\dfrac{38}{72}$

① $\dfrac{9}{4}$ ② $\dfrac{2}{4}$ ③ $\dfrac{17}{10}$

④ $\dfrac{13}{15}$ ⑤ $\dfrac{32}{18}$ ⑥ $\dfrac{27}{24}$

⑦ $\dfrac{48}{40}$ ⑧ $\dfrac{113}{46}$ ⑨ $\dfrac{80}{31}$

⑩ $\dfrac{2}{7}$ ⑪ $\dfrac{2}{4}$ ⑫ $\dfrac{7}{10}$

⑬ $\dfrac{16}{15}$ ⑭ $\dfrac{10}{16}$ ⑮ $\dfrac{19}{21}$

⑯ $\dfrac{65}{77}$ ⑰ $\dfrac{42}{54}$ ⑱ $\dfrac{27}{79}$

① $\dfrac{8}{3}$ ② $\dfrac{7}{5}$ ③ $\dfrac{5}{12}$

④ $\dfrac{9}{13}$ ⑤ $\dfrac{23}{14}$ ⑥ $\dfrac{29}{20}$

⑦ $\dfrac{10}{28}$ ⑧ $\dfrac{33}{42}$ ⑨ $\dfrac{138}{88}$

⑩ $\dfrac{4}{7}$ ⑪ $\dfrac{1}{9}$ ⑫ $\dfrac{6}{10}$

⑬ $\dfrac{3}{18}$ ⑭ $\dfrac{2}{18}$ ⑮ $\dfrac{17}{23}$

⑯ $\dfrac{30}{33}$ ⑰ $\dfrac{4}{50}$ ⑱ $\dfrac{2}{61}$

① $\dfrac{7}{5}$ ② $\dfrac{12}{7}$ ③ $\dfrac{19}{12}$

④ $\dfrac{28}{15}$ ⑤ $\dfrac{23}{14}$ ⑥ $\dfrac{42}{20}$

⑦ $\dfrac{50}{43}$ ⑧ $\dfrac{39}{38}$ ⑨ $\dfrac{57}{72}$

⑩ $\dfrac{1}{4}$ ⑪ $\dfrac{3}{9}$ ⑫ $\dfrac{5}{11}$

⑬ $\dfrac{2}{16}$ ⑭ $\dfrac{7}{15}$ ⑮ $\dfrac{1}{23}$

⑯ $\dfrac{89}{55}$ ⑰ $\dfrac{59}{54}$ ⑱ $\dfrac{60}{71}$

① $\dfrac{21}{7}$ ② $\dfrac{4}{3}$ ③ $\dfrac{20}{11}$

④ $\dfrac{21}{13}$ ⑤ $\dfrac{18}{16}$ ⑥ $\dfrac{29}{20}$

⑦ $\dfrac{18}{31}$ ⑧ $\dfrac{39}{34}$ ⑨ $\dfrac{77}{90}$

⑩ $\dfrac{1}{3}$ ⑪ $\dfrac{4}{4}$ ⑫ $\dfrac{6}{10}$

⑬ $\dfrac{1}{16}$ ⑭ $\dfrac{2}{13}$ ⑮ $\dfrac{10}{20}$

⑯ $\dfrac{16}{42}$ ⑰ $\dfrac{63}{56}$ ⑱ $\dfrac{106}{94}$

① $\dfrac{3}{8}$ ② $\dfrac{23}{9}$ ③ $\dfrac{13}{11}$

④ $\dfrac{17}{19}$ ⑤ $\dfrac{10}{17}$ ⑥ $\dfrac{46}{24}$

⑦ $\dfrac{133}{49}$ ⑧ $\dfrac{54}{54}$ ⑨ $\dfrac{147}{92}$

⑩ $\dfrac{4}{3}$ ⑪ $\dfrac{5}{5}$ ⑫ $\dfrac{1}{11}$

⑬ $\dfrac{12}{13}$ ⑭ $\dfrac{10}{17}$ ⑮ $\dfrac{13}{22}$

⑯ $\dfrac{3}{52}$ ⑰ $\dfrac{3}{41}$ ⑱ $\dfrac{102}{72}$

① $\dfrac{12}{6}$ ② $\dfrac{22}{9}$ ③ $\dfrac{22}{11}$

④ $\dfrac{31}{13}$ ⑤ $\dfrac{31}{16}$ ⑥ $\dfrac{31}{22}$

⑦ $\dfrac{20}{31}$ ⑧ $\dfrac{81}{52}$ ⑨ $\dfrac{71}{63}$

⑩ $\dfrac{3}{5}$ ⑪ $\dfrac{2}{4}$ ⑫ $\dfrac{4}{11}$

⑬ $\dfrac{8}{19}$ ⑭ $\dfrac{12}{16}$ ⑮ $\dfrac{24}{25}$

⑯ $\dfrac{25}{51}$ ⑰ $\dfrac{42}{59}$ ⑱ $\dfrac{42}{85}$

4주차 - 분모가 같은 대분수의 덧셈

54쪽

① 1, 2, 2, 3, 3, 5, 3, 5

② 3, 1, 4, 1, 4, 5, 4, 5

③ 8, 3, 1, 3, 11, 4, 11, 4

④ 4, 2, 3, 5, 6, 8, 6, 8

⑤ 9, 6, 3, 2, 15, 5, 15, 5

55쪽

① 3, 1, 3, 2, 2, 1, 2, 1

② 5, 3, 3, 1, 2, 2, 2, 2

③ 9, 6, 7, 4, 3, 3, 3, 3

④ 8, 4, 8, 5, 4, 3, 4, 3

⑤ 7, 6, 8, 3, 1, 5, 1, 5

56쪽

① $5\dfrac{5}{7}$ ② $2\dfrac{7}{9}$

③ $7\dfrac{5}{6}$ ④ $4\dfrac{7}{11}$

⑤ $9\dfrac{11}{12}$ ⑥ $8\dfrac{1}{12}$

⑦ $8\dfrac{10}{13}$ ⑧ $7\dfrac{6}{20}$

⑨ $14\dfrac{18}{20}$ ⑩ $3\dfrac{5}{19}$

⑪ $17\dfrac{20}{21}$ ⑫ $4\dfrac{11}{25}$

⑬ $12\dfrac{30}{32}$ ⑭ $5\dfrac{7}{46}$

57쪽

① $\dfrac{12}{8}$, $1\dfrac{4}{8}$ ② $\dfrac{14}{10}$, $1\dfrac{4}{10}$

③ $\dfrac{9}{7}$, $1\dfrac{2}{7}$ ④ $\dfrac{11}{9}$, $1\dfrac{2}{9}$

⑤ $\dfrac{9}{7}$, $1\dfrac{2}{7}$ ⑥ $\dfrac{9}{6}$, $1\dfrac{3}{6}$

⑦ $\dfrac{15}{13}$, $1\dfrac{2}{13}$ ⑧ $\dfrac{30}{18}$, $1\dfrac{12}{18}$

⑨ $\dfrac{39}{22}$, $1\dfrac{17}{22}$ ⑩ $\dfrac{34}{20}$, $1\dfrac{14}{20}$

⑪ $\dfrac{44}{35}$, $1\dfrac{9}{35}$ ⑫ $\dfrac{35}{31}$, $1\dfrac{4}{31}$

58쪽

① $\dfrac{11}{8} = 1\dfrac{3}{8}$, $\dfrac{13}{8} = 1\dfrac{5}{8}$

$\dfrac{9}{8} = 1\dfrac{1}{8}$, $\dfrac{11}{8} = 1\dfrac{3}{8}$

② $\dfrac{10}{7} = 1\dfrac{3}{7}$, $\dfrac{7}{7} = 1$

$\dfrac{11}{7} = 1\dfrac{4}{7}$, $\dfrac{8}{7} = 1\dfrac{1}{7}$

③ $\dfrac{17}{13} = 1\dfrac{4}{13}$, $\dfrac{23}{13} = 1\dfrac{10}{13}$

$\dfrac{14}{13} = 1\dfrac{1}{13}$, $\dfrac{20}{13} = 1\dfrac{7}{13}$

④ $\dfrac{16}{17}$, $\dfrac{21}{17} = 1\dfrac{4}{17}$

$\dfrac{24}{17} = 1\dfrac{7}{17}$, $\dfrac{29}{17} = 1\dfrac{12}{17}$

⑤ $\dfrac{35}{24} = 1\dfrac{11}{24}$, $\dfrac{37}{24} = 1\dfrac{13}{24}$

$\dfrac{41}{24} = 1\dfrac{17}{24}$, $\dfrac{43}{24} = 1\dfrac{19}{24}$

59쪽

$\dfrac{1}{4}+\dfrac{2}{4}$	$\dfrac{5}{7}+\dfrac{2}{7}$	$\dfrac{3}{5}+\dfrac{3}{5}$	$\dfrac{1}{3}+\dfrac{2}{3}$
$\dfrac{4}{8}+\dfrac{3}{8}$	$\dfrac{6}{10}+\dfrac{3}{10}$	$\dfrac{5}{14}+\dfrac{3}{14}$	$\dfrac{1}{8}+\dfrac{6}{8}$
$\dfrac{5}{20}+\dfrac{7}{20}$	$\dfrac{10}{17}+\dfrac{4}{17}$	$\dfrac{15}{22}+\dfrac{7}{22}$	$\dfrac{4}{8}+\dfrac{7}{8}$
$\dfrac{11}{14}+\dfrac{7}{14}$	$\dfrac{7}{25}+\dfrac{16}{25}$	$\dfrac{9}{25}+\dfrac{16}{25}$	$\dfrac{20}{35}+\dfrac{13}{35}$
$\dfrac{25}{40}+\dfrac{17}{40}$	$\dfrac{6}{30}+\dfrac{23}{30}$	$\dfrac{5}{11}+\dfrac{6}{11}$	$\dfrac{12}{20}+\dfrac{13}{20}$
$\dfrac{8}{18}+\dfrac{5}{18}$	$\dfrac{9}{18}+\dfrac{8}{18}$	$\dfrac{14}{23}+\dfrac{11}{23}$	$\dfrac{24}{50}+\dfrac{26}{50}$

60쪽

① 2, 1, 4, 5, 3, 1, 3, 4, 3

② 2, 2, 3, 3, 4, 1, 2, 5, 2

③ 4, 1, 4, 7, 5, 1, 3, 6, 3

④ 5, 2, 8, 9, 7, 1, 7, 8, 7

⑤ 6, 3, 6, 8, 9, 1, 2, 10, 2

61쪽

① 15, 16, 16, 6

② 17, 9, 18, 2 ③ 14, 19, 15, 7

④ 8, 11, 9, 3 ⑤ 14, 21, 15, 6

⑥ 12, 6, 13, 1 ⑦ 10, 30, 11, 3

⑧ 11, 11, 12, 2 ⑨ 5, 29, 6, 6

⑩ 12, 7, 13, 1 ⑪ 12, 43, 13, 12

⑫ 5, 10, 6, 1 ⑬ 12, 48, 13, 8

① $6\frac{1}{7}$ ② $9\frac{2}{10}$

$19\frac{3}{7}$ $16\frac{9}{10}$

$10\frac{4}{7}$, 15 $9\frac{8}{10}$, $16\frac{3}{10}$

③ $9\frac{12}{14}$ ④ $19\frac{1}{9}$

$16\frac{5}{14}$ $12\frac{2}{9}$

$6\frac{3}{14}$, 20 $17\frac{1}{9}$, $14\frac{2}{9}$

⑤ $5\frac{19}{20}$ ⑥ $7\frac{1}{15}$

$10\frac{3}{20}$ $5\frac{5}{15}$

$10\frac{11}{20}$, $5\frac{11}{20}$ $6\frac{7}{15}$, $5\frac{14}{15}$

$4\frac{6}{11}+7\frac{4}{11}$

⑪$\frac{10}{11}$ $12\frac{10}{11}$ $12\frac{2}{11}$

$2\frac{8}{9}+6\frac{4}{9}$

$8\frac{3}{9}$ ⑨$\frac{3}{9}$ $9\frac{12}{9}$

$1\frac{3}{7}+3\frac{5}{7}$

$4\frac{1}{7}$ $4\frac{8}{7}$ ⑤$\frac{1}{7}$

$6\frac{2}{5}+9\frac{7}{5}$

$15\frac{4}{5}$ $16\frac{9}{5}$ ⑯$\frac{4}{5}$

$7\frac{1}{3}+2\frac{2}{3}$

9 ⑩ $9\frac{3}{3}$

$10\frac{9}{14}+4\frac{2}{14}$

$15\frac{3}{14}$ $15\frac{11}{14}$ ⑭$\frac{11}{14}$

$1\frac{6}{8}+7\frac{7}{8}$

⑨$\frac{5}{8}$ $10\frac{5}{8}$ $8\frac{3}{8}$

$6\frac{11}{19}+2\frac{4}{19}$

$9\frac{5}{19}$ ⑧$\frac{15}{19}$ $9\frac{15}{19}$

① 9, 2 ⑤ 21, 3

② 14, 3 ⑥ 10, 7

③ 6, 3 ⑦ 16, 29

④ 15, 2

① $14\frac{1}{8}$ ② $16\frac{1}{4}$

③ $17\frac{2}{7}$ ④ $8\frac{7}{9}$

⑤ $10\frac{1}{7}$ ⑥ $23\frac{6}{10}$

⑦ $10\frac{5}{12}$ ⑧ $6\frac{3}{14}$

⑨ $9\frac{5}{16}$ ⑩ $7\frac{4}{19}$

⑪ $20\frac{7}{22}$ ⑫ $6\frac{1}{28}$

⑬ $12\frac{6}{38}$ ⑭ $4\frac{20}{42}$

① $8\frac{5}{6}$ ② $6\frac{5}{8}$

③ $5\frac{4}{7}$ ④ $12\frac{1}{9}$

⑤ $11\frac{1}{5}$ ⑥ $14\frac{1}{3}$

⑦ $11\frac{7}{10}$ ⑧ $12\frac{4}{12}$

⑨ $7\frac{11}{15}$ ⑩ $10\frac{5}{16}$

⑪ $9\frac{19}{20}$ ⑫ $9\frac{12}{24}$

⑬ $12\frac{14}{33}$ ⑭ $9\frac{7}{38}$

① $9\frac{5}{8}$ ② $3\frac{4}{5}$

③ $13\frac{4}{9}$ ④ $7\frac{5}{8}$

⑤ $16\frac{1}{6}$ ⑥ $4\frac{7}{9}$

⑦ $20\frac{5}{7}$ ⑧ $8\frac{4}{16}$

⑨ $9\frac{4}{20}$ ⑩ $17\frac{10}{13}$

⑪ $3\frac{8}{12}$ ⑫ $16\frac{4}{21}$

⑬ $12\frac{12}{33}$ ⑭ $28\frac{25}{36}$

① $7\frac{5}{6}$ ② $7\frac{5}{7}$

③ 6 ④ 13

⑤ $11\frac{6}{9}$ ⑥ $15\frac{5}{8}$

5주차 - 분모가 같은 대분수의 뺄셈

① 6, 2, 1, 6, 5, 1, 1

② 8, 3, 1, 8, 7, 2, 1

③ 4, 8, 7, 4, 2, 1, 2

④ 6, 9, 3, 6, 4, 6, 2

⑤ 8, 6, 2, 8, 1, 4, 7

① 10, 10
4, 5

② 9, 6
6, 2

③ 8, 8
2, 2

④ 5, 11
1, 2

⑤ 2, 14
1, 7

⑥ 9, 16
2, 1

⑦ 7, 19
5, 13

⑧ 7, 24
3, 6

⑨ 13, 27
8, 8

① $8\frac{4}{7}$

② $2\frac{1}{8}$

③ $3\frac{8}{9}$

④ $4\frac{2}{5}$

⑤ $3\frac{4}{10}$

⑥ $1\frac{8}{17}$

⑦ $3\frac{5}{11}$

⑧ $7\frac{1}{14}$

⑨ $3\frac{12}{15}$

⑩ $8\frac{9}{18}$

⑪ $5\frac{5}{24}$

⑫ $7\frac{3}{20}$

⑬ $5\frac{25}{31}$

⑭ $8\frac{5}{34}$

① 5, 2, 1, 5, 3, 1, 2

② 9, 4, 2, 9, 4, 2, 5

③ 10, 7, 4, 10, 5, 3, 5

④ 17, 3, 2, 17, 8, 1, 9

⑤ 18, 4, 3, 18, 10, 1, 8

① 4, 12
2, 5

② 5, 12
4, 8

③ 7, 11
3, 6

④ 8, 12
2, 6

⑤ 11, 10
4, 5

⑥ 3, 15
1, 5

⑦ 5, 23
3, 16

⑧ 10, 25
2, 11

⑨ 9, 21
3, 10

① $5\frac{3}{9}$, $1\frac{7}{9}$
$3\frac{1}{9}$, $6\frac{6}{9}$

② $5\frac{6}{8}$, $6\frac{4}{8}$
$\frac{4}{8}$, $1\frac{2}{8}$

③ $3\frac{10}{14}$, $4\frac{2}{14}$
$3\frac{1}{14}$, $2\frac{9}{14}$

④ $1\frac{10}{12}$, $7\frac{11}{12}$
$3\frac{10}{12}$, $2\frac{3}{12}$

⑤ $\frac{9}{20}$, $2\frac{6}{20}$
$2\frac{7}{20}$, $5\frac{2}{20}$

⑥ $4\frac{18}{24}$, $6\frac{12}{24}$
$1\frac{20}{24}$, $3\frac{14}{24}$

$6\frac{4}{5} - 2\frac{2}{5}$
（$4\frac{2}{5}$）　$3\frac{2}{5}$　$3\frac{4}{5}$

$8\frac{8}{9} - 5\frac{6}{9}$
（$3\frac{2}{9}$）　$2\frac{2}{9}$　$2\frac{7}{9}$

$7\frac{9}{11} - 4\frac{10}{11}$
$3\frac{17}{11}$　$3\frac{10}{11}$　（$2\frac{10}{11}$）

$9\frac{10}{14} - 7\frac{5}{14}$
$2\frac{15}{14}$　$3\frac{5}{14}$　（$2\frac{5}{14}$）

$9\frac{15}{24} - 4\frac{16}{24}$
$5\frac{23}{24}$　$4\frac{9}{24}$　（$4\frac{23}{24}$）

$10\frac{24}{27} - 4\frac{18}{27}$
（$6\frac{6}{27}$）　$15\frac{6}{27}$　$5\frac{12}{27}$

$11\frac{8}{38} - 5\frac{6}{38}$
（$6\frac{2}{38}$）　$5\frac{2}{38}$　$5\frac{4}{38}$

$7\frac{16}{45} - 5\frac{20}{45}$
$1\frac{4}{45}$　（$1\frac{41}{45}$）　$2\frac{41}{45}$

① 1, 3

② 4, 2

③ 6, 3

④ 4, 20

⑤ 7, 28

⑥ 6, 19

⑦ 7, 52

① 4, 6

② 1, 5

③ 3, 2

④ 5, 5

⑤ 4, 10

⑥ 5, 11

⑦ 2, 12

⑧ 8, 18

⑨ 2, 19

⑩ 2, 26

⑪ 6, 5

⑫ 1, 6

⑬ 2, 22

⑭ 1, 28

① $4\frac{2}{4}$

② $7\frac{7}{9}$

③ $2\frac{5}{8}$

④ $2\frac{1}{3}$

⑤ $7\frac{8}{9}$

⑥ $4\frac{3}{7}$

⑦ $4\frac{4}{6}$

⑧ $5\frac{1}{5}$

⑨ $4\frac{8}{11}$

⑩ $6\frac{8}{18}$

⑪ $7\frac{18}{25}$

⑫ $3\frac{17}{30}$

⑬ $6\frac{5}{33}$

⑭ $3\frac{44}{50}$

80쪽

① $4\frac{4}{7}$ ② $5\frac{5}{9}$

③ $1\frac{3}{5}$ ④ $4\frac{6}{8}$

⑤ $11\frac{4}{6}$ ⑥ $7\frac{3}{9}$

⑦ $1\frac{3}{4}$ ⑧ $8\frac{6}{7}$

⑨ $6\frac{5}{9}$ ⑩ $3\frac{4}{10}$

⑪ $10\frac{6}{12}$ ⑫ $14\frac{11}{19}$

⑬ $13\frac{12}{27}$ ⑭ $17\frac{31}{32}$

81쪽

82쪽

① 7, 3, 6, 3, 7, 5, 10, 1

② 12, 3, 9, 1, 7, 4, 6, 4

③ 5, 5, 7, 6, 2, 3, 7, 7

④ 6, 3, 8, 2, 3, 12, 11, 11

⑤ 11, 3, 6, 2, 14, 11, 8, 5

⑥ 6, 2, 8, 16, 21, 14, 12, 9

83쪽

① 9, 3, 2, 3, 5, 3
3, 2

② 1, 7, 2, 2, 3, 8
5, 6

③ 10, 3, 1, 6, 1, 11
5, 8

④ 7, 3, 8, 5, 15, 9
11, 20

84쪽

① $11\frac{1}{5}$ ② $10\frac{1}{4}$

③ $5\frac{2}{3}$ ④ $12\frac{1}{6}$

⑤ 6 ⑥ $1\frac{7}{9}$

⑦ $8\frac{5}{7}$ ⑧ $6\frac{4}{10}$

⑨ $1\frac{5}{11}$ ⑩ $14\frac{5}{15}$

⑪ $7\frac{3}{16}$ ⑫ $5\frac{9}{18}$

⑬ $6\frac{22}{28}$ ⑭ $5\frac{15}{32}$

6주차 - 도전! 계산왕

86쪽

① 3 ② $16\frac{3}{8}$ ③ $12\frac{4}{10}$

④ $8\frac{9}{19}$ ⑤ $9\frac{3}{18}$ ⑥ $15\frac{16}{22}$

⑦ $15\frac{17}{59}$ ⑧ $17\frac{4}{37}$ ⑨ $12\frac{83}{94}$

⑩ $2\frac{5}{6}$ ⑪ $1\frac{1}{9}$ ⑫ $\frac{6}{10}$

⑬ $\frac{11}{13}$ ⑭ $6\frac{2}{17}$ ⑮ $3\frac{10}{20}$

⑯ $5\frac{9}{31}$ ⑰ $1\frac{33}{54}$ ⑱ $5\frac{75}{88}$

87쪽

① $8\frac{4}{8}$ ② 6 ③ $5\frac{8}{11}$

④ $6\frac{16}{19}$ ⑤ $4\frac{8}{14}$ ⑥ $9\frac{13}{21}$

⑦ $9\frac{35}{38}$ ⑧ $9\frac{37}{49}$ ⑨ $16\frac{31}{71}$

⑩ $4\frac{7}{9}$ ⑪ $7\frac{2}{7}$ ⑫ $\frac{7}{10}$

⑬ $\frac{17}{19}$ ⑭ $\frac{15}{18}$ ⑮ $6\frac{23}{24}$

⑯ $17\frac{56}{58}$ ⑰ $1\frac{32}{34}$ ⑱ 7

88쪽

① $5\frac{1}{6}$ ② $9\frac{1}{5}$ ③ $11\frac{4}{10}$

④ $15\frac{14}{17}$ ⑤ $2\frac{6}{14}$ ⑥ $7\frac{14}{25}$

⑦ $10\frac{17}{51}$ ⑧ $9\frac{41}{49}$ ⑨ $18\frac{54}{99}$

⑩ $5\frac{7}{8}$ ⑪ $10\frac{1}{4}$ ⑫ $\frac{6}{10}$

⑬ $2\frac{13}{14}$ ⑭ $5\frac{7}{17}$ ⑮ $5\frac{7}{20}$

⑯ $2\frac{24}{30}$ ⑰ $3\frac{5}{48}$ ⑱ $1\frac{65}{69}$

89쪽

① $8\frac{2}{4}$ ② $12\frac{4}{5}$ ③ $5\frac{8}{10}$

④ $10\frac{8}{15}$ ⑤ $8\frac{9}{14}$ ⑥ $12\frac{17}{23}$

⑦ $16\frac{38}{50}$ ⑧ $17\frac{14}{43}$ ⑨ $8\frac{58}{92}$

⑩ $\frac{4}{8}$ ⑪ $3\frac{3}{9}$ ⑫ $5\frac{7}{11}$

⑬ $11\frac{14}{15}$ ⑭ $4\frac{4}{19}$ ⑮ $\frac{5}{25}$

⑯ $6\frac{27}{32}$ ⑰ $6\frac{18}{35}$ ⑱ $1\frac{10}{79}$

⑩ $3\frac{7}{8}$ ⑪ $\frac{1}{7}$ ⑫ $\frac{2}{10}$

⑬ $5\frac{11}{15}$ ⑭ 3 ⑮ $\frac{17}{23}$

⑯ $8\frac{33}{53}$ ⑰ $14\frac{4}{57}$ ⑱ $16\frac{28}{98}$

92쪽

① 16 ② $14\frac{5}{8}$ ③ $13\frac{5}{10}$

④ $10\frac{3}{15}$ ⑤ $16\frac{16}{17}$ ⑥ $17\frac{18}{23}$

⑦ $18\frac{13}{48}$ ⑧ $17\frac{5}{26}$ ⑨ $14\frac{88}{94}$

⑩ $\frac{1}{9}$ ⑪ $7\frac{3}{10}$ ⑫ $9\frac{9}{10}$

⑬ $1\frac{5}{15}$ ⑭ $5\frac{3}{14}$ ⑮ $2\frac{4}{20}$

⑯ $10\frac{22}{28}$ ⑰ 5 ⑱ $7\frac{67}{71}$

93쪽

① 4 ② $11\frac{1}{10}$ ③ 6

④ $15\frac{10}{13}$ ⑤ $11\frac{14}{15}$ ⑥ $6\frac{23}{24}$

⑦ $5\frac{30}{40}$ ⑧ $17\frac{37}{43}$ ⑨ $16\frac{25}{67}$

⑩ $8\frac{3}{4}$ ⑪ $6\frac{6}{7}$ ⑫ $7\frac{10}{11}$

⑬ $\frac{7}{18}$ ⑭ $\frac{1}{13}$ ⑮ $9\frac{5}{23}$

⑯ $8\frac{26}{27}$ ⑰ $1\frac{17}{26}$ ⑱ $16\frac{21}{61}$

90쪽

① $8\frac{2}{7}$ ② $14\frac{5}{8}$ ③ $11\frac{5}{12}$

④ $16\frac{15}{19}$ ⑤ $14\frac{8}{13}$ ⑥ $3\frac{9}{22}$

⑦ $6\frac{9}{35}$ ⑧ $4\frac{5}{47}$ ⑨ $16\frac{46}{71}$

⑩ $\frac{2}{5}$ ⑪ $2\frac{1}{9}$ ⑫ $\frac{3}{11}$

⑬ $\frac{15}{16}$ ⑭ $5\frac{8}{17}$ ⑮ $8\frac{18}{23}$

⑯ $2\frac{47}{60}$ ⑰ $9\frac{13}{35}$ ⑱ $3\frac{32}{94}$

91쪽

① $6\frac{1}{9}$ ② 12 ③ $6\frac{9}{11}$

④ $4\frac{7}{17}$ ⑤ $11\frac{15}{19}$ ⑥ $6\frac{20}{25}$

⑦ $16\frac{19}{27}$ ⑧ $11\frac{30}{58}$ ⑨ $12\frac{30}{79}$

94쪽

① $7\frac{2}{7}$ ② 8 ③ $11\frac{1}{10}$

④ $5\frac{2}{17}$ ⑤ $7\frac{5}{16}$ ⑥ $15\frac{4}{22}$

⑦ $18\frac{9}{52}$ ⑧ $6\frac{53}{54}$ ⑨ $14\frac{79}{80}$

⑩ $1\frac{3}{4}$ ⑪ $\frac{1}{8}$ ⑫ $4\frac{9}{10}$

⑬ $4\frac{4}{17}$ ⑭ $\frac{15}{16}$ ⑮ $5\frac{17}{23}$

⑯ $15\frac{25}{30}$ ⑰ $3\frac{28}{44}$ ⑱ $1\frac{16}{66}$

95쪽

① 10 ② $12\frac{1}{3}$ ③ $14\frac{5}{10}$

④ $10\frac{1}{18}$ ⑤ $7\frac{11}{16}$ ⑥ $18\frac{17}{20}$

⑦ $13\frac{8}{50}$ ⑧ $10\frac{41}{59}$ ⑨ $7\frac{18}{90}$

⑩ $3\frac{5}{6}$ ⑪ $7\frac{1}{7}$ ⑫ $1\frac{9}{12}$

⑬ $4\frac{8}{14}$ ⑭ $6\frac{5}{16}$ ⑮ $5\frac{13}{20}$

⑯ $\frac{17}{58}$ ⑰ $8\frac{11}{30}$ ⑱ $5\frac{18}{76}$

초등 | 수학 전문가가 만든 연산 교재
원리셈

원리
이해

다양한
계산 방법

충분한
연습

성취도
확인

그 많은 문제를 풀고도 몰랐던

초등 사고력 수학의 원리 1
초등 사고력 수학의 전략 2

● 초등 사고력 수학의 원리 1

원리는 수학의 시작

● 초등 사고력 수학의 전략 2

문제해결은 수학의 끝

✓ **진정한 수학 실력은** 원리의 이해와 문제 해결 전략에서 나온다.

✓ **수학의 시작과 끝을** 제대로 알고 수학 실력 올리자!

✓ **재미있게 읽을 수 있는** 17년 초등 사고력 수학의 노하우

천종현수학연구소의 교재 흐름도

4세	5세	6세	7세	초1	

유아 자신감 수학 : 유아 수학 입문서
- 처음에는 엄마, 아빠와 함께, 나중에는 아이 스스로
- 개념의 이해부터 적용까지

유아 자신감 수학 만 3세 / 유아 자신감 수학 만 4세 / 유아 자신감 수학 만 5세

원리셈 : 기본 연산 학습서
- 매일 10분씩 원리로부터 실력까지 연산의 완성!!
- 다양한 형태의 문제와 충분한 연습으로 쉽고 재미있게

키즈 원리셈 5, 6세 / 키즈 원리셈 6, 7세 / 키즈 원리셈 예비 초등 7, 8세 / 초등 원리셈 초등1

TOP사고력 : 사고력 수학의 으뜸
- 수학적 직관력 / 문제 이해력 기르기
- 영역별 나선형식 반복 학습 구조

탑사고력 K 단계 / 탑사고력 P 단계 / 탑사고력 A 단계

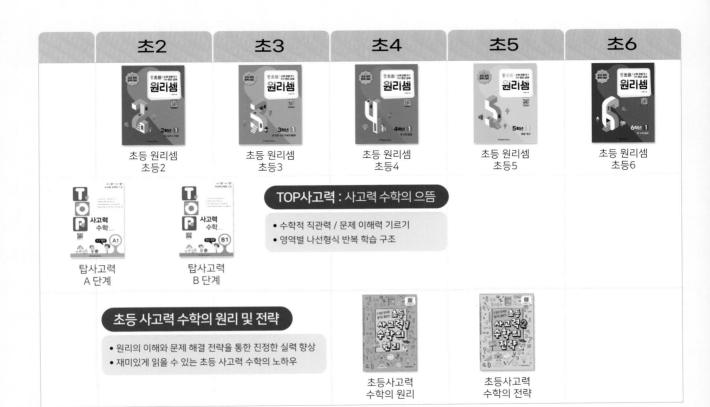

초2	초3	초4	초5	초6

초등 원리셈 초등2 / 초등 원리셈 초등3 / 초등 원리셈 초등4 / 초등 원리셈 초등5 / 초등 원리셈 초등6

TOP사고력 : 사고력 수학의 으뜸
- 수학적 직관력 / 문제 이해력 기르기
- 영역별 나선형식 반복 학습 구조

탑사고력 A 단계 / 탑사고력 B 단계

초등 사고력 수학의 원리 및 전략
- 원리의 이해와 문제 해결 전략을 통한 진정한 실력 향상
- 재미있게 읽을 수 있는 초등 사고력 수학의 노하우

초등사고력 수학의 원리 / 초등사고력 수학의 전략